De Rafael a Nadal

De Rafael a Nadal
El camino hacia la leyenda

Ángel García Muñiz
Javier Méndez Vega

Prólogo de Carlos Moyá
Epílogo de Ingrid Betancourt

CÓRNER

© Ángel García Muñiz y Javier Méndez Vega, 2015

Primera edición: mayo de 2015

© de esta edición: Roca Editorial de Libros, S.L.
Av. Marquès de l'Argentera 17, pral.
08003 Barcelona
info@editorialcorner.com
www.editorialcorner.com

Impreso por LIBERDÚPLEX, s.l.u.
Crta. BV-2249, km 7,4, Pol. Ind. Torrentfondo
Sant Llorenç d'Hortons (Barcelona)

ISBN: 978-84-15242-88-8
Depósito legal: B. 9.528-2015
Código IBIC: BGS; WSJR2

RC42888

A mis padres, mi ejemplo
A mi hermano, mi orgullo
A mi abuela, mi religión
A Nacho, mi espejo
Y a Raquel, mi ilusión

Ángel

A mi madre, por enseñarme a imaginar
A mi padre, por mostrarme que era posible
A mi hermana, por imaginar conmigo
Y a Elena, por acompañarme en este camino de sueños

Javier

Índice

PRÓLOGO

Un niño grande

Nos conocimos en Stuttgart, en octubre de 1998. Yo jugaba el ATP Masters Series y Rafa estaba a punto de ganar el Nike Junior Tour sub-12. Me habían hablado mucho de él, pero por aquella época yo vivía en Barcelona e iba poco por Palma. A los dos nos llevaba Nike y Gonzalo Amilibia, que era muy amigo mío, me preguntó si quería conocerle y pelotear con él. «Claro que sí», le contesté.

Jugamos unos veinte minutos y recuerdo que era un niño muy tímido que apenas te miraba a la cara. Te saludaba y se giraba, pero en la pista se transformaba un poco. O bastante... Hay muchos chavales de doce años que juegan bien, pero si eres el mejor del mundo y ganas todos los torneos que juegas a esas edades, significa que hay algo más que quizás no se ve a primera vista. Tiene que estar, lo tiene dentro. Y en su caso era un hambre, un desparpajo, nada habitual en un niño tan joven.

Apenas hablamos. Era difícil mantener conversación con él, porque te respondía con monosílabos y sin apenas mirarte. Se veía claramente que era por timidez y por asombro. Estar ahí, donde estaban todos los mejores del mundo, con doce añitos... Recuerdo que a mí me eliminó Boris Becker y también estaban Sampras o Agassi.

Le hice las típicas bromas, pero una vez que empezamos a pelotear ya noté el cambio importante de lo que es Rafa dentro y fuera de la pista.

Fuera es Rafael, un niño grande. Sí, un niño grande que le pone muchísima pasión a lo que hace, sea jugar a la Play, jugar al golf... Lo vive todo mucho, lo que sea. Y dentro es Nadal, un jugador con muchísima hambre que nunca se ha cansado de ganar ni de mejorar y evolucionar. Hay pocas cosas que se puedan añadir o que no se hayan dicho ya.

Si me preguntan en qué momento Rafael pasó a ser Nadal, probablemente diría que en la Copa Davis, la que ganamos en 2004. Creo que ahí entra un Rafa en la pista y cuando sale, se despierta la bestia. Hasta ese momento era un jugador perjudicado por las lesiones, que no le habían dejado desarrollar su potencial. Con dieciséis años ya me ganó, pero no tuvo una evolución de ránking. Por culpa de una lesión grave en Estoril estuvo mucho tiempo sin jugar.

En aquel momento a Rafael le dan la responsabilidad de coger un equipo y tener que ganar a Roddick, cuando unos meses antes habían jugado en el US Open y le había apalizado, y cuando tres semanas antes había perdido partidos en el Campeonato de España por equipos. Pues él coge esa responsabilidad, gana a Andy, y ahí ves que estás tratando con alguien distinto. Con Nadal.

Roddick era un gran jugador, muy competitivo en Copa Davis. Y aunque se jugase en tierra, era en pista cubierta y en una final. Rafa se preparó muy bien y los capitanes le eligieron para jugar el viernes en lugar de Ferrero y Robredo. No hay vuelta atrás. La decisión está tomada, pero Toni viene a hablar conmigo:

—Oye, sabemos que es prácticamente tu última oportunidad de ganar la Copa Davis y que te hace mucha ilusión. Si crees que tiene que jugar otro...

—No, no. Yo le he visto entrenar y ha estado muy

bien. Y si los capitanes, que le han seguido toda la semana, deciden eso, yo a muerte con Rafa.

Rafa también viene a hablar conmigo y le doy los máximos ánimos, le digo que lo va a hacer muy bien y le intento transmitir calma. Que esté tranquilo, porque en aquella época se acalambraba mucho por los nervios y la intensidad que ponía. Se animaba muchísimo, demasiado. «Cálmate. Aunque vayas ganando, poco a poco, porque la Davis es distinta, y más en una final a cinco sets. Y lo puedes acusar.»

Recuerdo aquel día, aquella victoria, como uno de los mejores momentos de mi carrera. El momento ese en el que él gana... Es prácticamente el punto que nos da la eliminatoria. Nos abrazamos y le dije: «Ya te lo decía yo, que confiaba en ti». En realidad no confiaba tanto, ¿eh? Confías, pero...

Luego llegarían todos los Grand Slams y el resto de triunfos, y me llena de orgullo haber vivido su evolución. Desde aquel día en Stuttgart hasta que va jugando satélites, Challengers... Va subiendo, subiendo y subiendo, y parece que no tiene límite. Vivir toda esa progresión, habiendo estado con él desde el principio, habiéndole conocido desde que no era nadie, apoyándole y animándole, me llena de orgullo.

La gente a veces se sorprende, pero es verdad que nunca he tenido celos de su éxito. Primero, porque desde el principio tuve claro que iba a superar lo que yo consiguiera. Y segundo, porque siempre estuve contento y satisfecho con lo que gané. Si hay otro que viene y lo supera, fenomenal. Y si encima es amigo mío, mejor. Estoy encantado de que alguien de la isla de donde yo vengo, sea tan grande. Tener un amigo que tiene la opción de ser el mejor de la historia en algo, me hace ilusión y ojalá pueda conseguirlo.

También me preguntan si Rafa ha cambiado. Nunca se ha crecido, pero las circunstancias obligatoriamente te cambian. Pasas de ser un chaval al que nadie conoce, a no poder caminar por ningún lado, y entonces cierras un poco tu círculo. Es imposible seguir siendo el mismo, pero en lo fundamental, en los valores, sigue siendo igual.

¿Rafael mejor que Nadal? Cuando hablamos de uno de los grandes de toda la historia del tenis, es difícil que la persona lo supere. Lo típico, «gran jugador, mejor persona». Si eres el número uno del mundo, yo creo que hay mejores personas en el mundo que tú. Pero lo que nadie duda es que es un gran tipo y estoy convencido de que esa manera de ser es parte del éxito que ha tenido como jugador. Lo dicho, un niño grande. Catorce veces grande.

CARLOS MOYÁ
Mayo de 2015

Cuando Nadal solo es Rafael

«Si algo he aprendido es a distinguir claramente entre Rafa y Rafael. Rafa es el tenista famoso; Rafael, como me llaman en casa, es el de verdad, el que podría haber hecho cualquier otra cosa en la vida y sería igual». La dicotomía la firma el propio Nadal en *Rafa, mi historia*. Aunque quizás no sea del todo precisa, y debamos hablar de tricotomía.

Nadal, el héroe: el autor de innumerables hazañas en torneos del mundo entero. Rafa, el ídolo: el compatriota del que presumir, compartas con él país, continente, planeta o sistema solar. Y Rafael, la persona: el nieto, el hijo, el hermano, el sobrino. El niño crédulo hasta la carcajada y obediente hasta el aplauso. El hombre admirable.

De Nadal poco queda por decir. Sus catorce títulos del Grand Slam y su colección de récords hablan por sí mismos. Basta con mirar su sala de trofeos o escuchar a sus compañeros de profesión: Rod Laver, Björn Borg, John McEnroe, Boris Becker, Andre Agassi, Pete Sampras o Roger Federer le han dedicado piropos que harían enrojecer al más modesto. Está entre ellos. Es uno de ellos. Una leyenda más.

Para situar a Rafa en el imaginario popular, sirvan tres nombres, dos besos y un *tuit*. Noam U. Aorta tenía 23 años cuando saltó a la pista de tenis más grande del mundo, la Arthur Ashe, para abrazar y besar a su ídolo. El atrevimiento de este neoyorquino, arrestado por su osadía, pudo costarle un año de cárcel y 5.000 dólares de multa, pero terminó entre las risas de Rafa: «Para mí no fue un problema. El chico fue muy amable, un gran aficionado. Me dijo "te quiero" y me besó».

«Nadal, tengo 88 años y he viajado 1.426 kilómetros para verte!! Suerte», reza una pancarta adornada con varios corazones dignos de una adolescente enamorada. Detrás, Doña Mafalda, una anciana que hace tiempo abandonó esa época de pasión juvenil. O no. Mafalda María Zeni Rasia no se pierde un partido de Rafa por televisión, aunque tuvo que esperar a su encuentro 800 como profesional para verlo en vivo y en directo, llegada ex profeso a Río de Janeiro desde el lejano Caixas do Sul. «Era el sueño de su vida tener una foto con él y charlar un momento con su ídolo», confiesa su nieta María Fernanda en AOL, al tiempo que la afortunada octogenaria narra la reacción de Nadal ante el ansiado encuentro: «Me emocioné mucho y él fue muy atento. Sintió un poco de vergüenza, porque aún estaba sudado, pero no hubo problema. ¡Y me gané un beso!».

Amanda Chawansky se define en su cuenta de Twitter como «amante de la vida, la gente, los animales, las plantas, el chocolate y el tenis». Cierto día, en Washington DC, se encontró con un matrimonio muy poderoso e inmortalizó el momento, directo a las redes sociales: «*My dream was to meet Rafa, not these nice people! :)*». (Mi sueño era conocer a Rafa, no a esta gente encantadora). Amanda acababa de fotografiarse con Barack y Michelle Obama.

Nueva York, Caixas do Sul y Washington. Por elegir tres historias entre cientos. Tres ejemplos para ilustrar que la pasión que despierta Nadal traspasa fronteras. ¿Cómo reaccionar ante la idolatría? ¿Cómo digerir la veneración? ¿Cómo rechazar la pleitesía? «Un éxito como el de Rafael, un éxito que sabes que te va a hacer pasar a la historia, ese éxito es dificilísimo de manejar. Alimenta el ego y puede volverte loco. Sabe que nadie es un dios y él, menos aún», responde Joan Forcades, su preparador físico y su consejero en la sombra y en el sudor de tantas tardes solitarias.

Rafael sabe que no es un dios. Sabe que el tenista de acero está «lleno de temores e inseguridades» en la vida real, desvela su madre. Que es «miedica», ríe su hermana. «En la vida cotidiana es un chico muy normal, simpático y siempre amable, que en según qué momentos se muestra inseguro y lleno de ansiedades. Pero luego lo ves allí, en el vestuario, y de pronto se transforma ante tus ojos en un conquistador», dibuja Francis Roig, su entrenador en ausencia de Toni Nadal.

«Bueno, a ver si nos vemos pronto. Venga, hasta luego», fue el discurso, nada memorable y altamente risible, que acertó a articular Rafael a pie de pista justo después de convertirse en el tenista más joven en ganar la Copa Davis, allá por 2004. Rafa Nadal acababa de presentarse en la élite del tenis arrodillando a Andy Roddick, por entonces número dos del mundo. Rafael, en cambio, solo era un niño de dieciocho años y 187 días que se crecía raqueta en mano y se asustaba micrófono en boca.

Los tres, Nadal, Rafa y Rafael, han conquistado las cuatro fronteras del tenis con una filosofía muy clara: «No se consiguen las grandes cosas sin pasar antes por las pequeñas. Lo que cuenta es el día a día. Y yo siempre he trabajado pensando en el día a día, esforzándome día a día. Y desde ahí intentar conseguir cosas mayores…». Y con una identidad muy clara: «Hay un Rafa Nadal, el tenista, al que la gente ve triunfante, y estoy yo, el Rafa Nadal persona, el mismo que he sido siempre y el mismo que habría sido aunque me hubiera dedicado a otra cosa en la vida, con o sin fama». El que nació, vive y morirá en su isla. Con su gente.

Cuentan que si caminan por Manacor y preguntan por Nadal, les mirarán con extrañeza. Prueben a preguntar por Rafel. O incluso por Rafelet, si su interlocutor conoció a nuestro protagonista cuando era niño. «Cuando vuelvo la vista atrás y veo a aquel Rafael adolescente, me siento orgulloso de él.» Señoras y señores, aquí, una leyenda. Con ustedes, don Rafael Nadal Parera.

Capítulo I

Roland Garros 2005
Del averno a la gloria en 114 días

«Te pasas toda tu vida pensando y hablando sobre cómo
será ganar un Grand Slam, y de repente te das cuenta
de que lo has ganado. ¿Qué puedo decir?»

Rafael Nadal

«*E*l año que viene será mío.» Hace doce meses Rafael
paseaba por todo el complejo del Bosque de Bolonia sin
que nadie le molestase. Un aficionado más. Corriente,
normal, salvo por las muletas que acompañan a su
hueso del pie fisurado. Carlos Costa, su agente, está
convencido de que algún día ganará Roland Garros,
pero su respuesta no entiende de futuros condicionales:
«El año que viene será mío». Promesa hecha...

Promesa cumplida. Hoy, pasados esos doce meses,
Guillermo Vilas, Mats Wilander y Gustavo Kuerten
esperan pacientemente para hacerse una foto con Nadal y su Copa de los Mosqueteros. Sueño conquistado,
reto alcanzado. Quilates de tenis y esa copa de plata
dorada presidiendo la escena. Es suya. Se la ha ganado.
Ya es uno de ellos: ya es campeón de un Grand Slam.
Quién lo hubiese dicho hace solo 114 días, cuando
Gastón Gaudio, el anterior dueño de su trofeo, le apabulló en Buenos Aires.

«Recuerdo que terminé el partido y nada; no terminé ni enfadado, siquiera. Simplemente sentí que un jugador mejor que yo me había pasado por encima. Nada más. Siempre he aceptado muy bien las derrotas». Precisamente en aquel torneo Rafa incorporaba un nuevo entrenador a su equipo: Francis Roig. «Francis ha sido siempre una ayuda muy importante para mí, desde 2005. Tiene una gran experiencia entrenando jugadores. Lo mejor que puedo decir de él es que sabe cómo trabajar para que sientas que estás mejorando. Si le das dos o tres semanas de entrenamiento, la mayoría de las veces después sentirás que estás más en forma y que estás jugando mejor que antes», se lee en *Rafa, mi historia*, de John Carlin y el propio protagonista.

Ay, el público argentino. Ninguno tan entusiasta, tan fogoso. Tan inspirador... salvo que esté en contra. «Fue el primer partido en el que se encontró con un público muy hostil, el de Buenos Aires. No recuerdo las palabras, pero en Argentina los partidos son terribles. Entre saque y saque: "¡Doble falta! ¡*Gallego*!"... Te hablan y te dicen de todo. No puedes jugar. Son terribles. Y a Rafa pues le afectó, realmente le afectó. Pero claro, era muy jovencito. Hoy en día no le hubiera afectado ni de coña».

Qué mal lo pasó Francis en la grada, impotente mientras su pupilo se desintegraba. «Gaudio el año anterior había ganado Roland Garros, pero Rafa salió como un animal. Al principio el que estaba cohibido era Gaudio y le pegó 6-0 en el primero». El propio Gastón se desesperó ante su inquebrantable defensa: «Flaco, no *podés* correr tanto; no *podés* llegar a todas».

Y entonces, todo se torció. «Luego la gente se le echó encima, se dio la vuelta al partido y Gaudio le pegó 0-6 y 1-6.» Saques afilados, reveses ganadores y gritos demoledores; la colección de recursos del Gato y su afición fue ilimitada. Enfrente, un espectro. «El público le decía:

"¡Hijo de puta!" todo el tiempo», recuerda Toni Nadal en *Jot Down*.

Rafael llegó al vestuario aún cohibido. 5.500 argentinos en contra y un amigo esperando.

—Hostia, Francis, es que no podía jugar. Era increíble.

—No te preocupes, Rafa.

—No he visto una cosa igual. No... No podía jugar.

—No pasa nada. Nos vamos a Brasil.

Un amigo al que le bastan «dos o tres semanas», ¿recuerdan? Torneo de Costa do Sauipe: Acasuso, Calatrava, Calleri, Mello y Martín. Siete días después de la final de Buenos Aires, Nadal levanta el trofeo (hasta Montecarlo no empezará a morderlos). Acapulco: Calatrava, Ventura, Cañas, Puerta y Montañés, cinco victorias más sin ceder un solo set. Han pasado 14 días y ya está levantando otro trofeo. Por cierto, resultado de la final en México, 6-1 y 6-0. Ideal para cerrar la herida bonaerense. Capicúa.

«Nada, un poquito de shock y luego ya nos fuimos a Costa do Sauipe. Gana el torneo y en Acapulco, también». Francis lo simplifica, pero ¿cómo se pasa de una paliza a dos títulos en dos semanas? ¿Cómo se sale de las tinieblas y se coloniza el paraíso en tan poco tiempo? «Es que este tío... A ver, yo no he visto a nadie que supere las adversidades como él. Porque se quedó hundido, ¿eh? Para mí no hay retos que se le puedan resistir. Es que no hay retos. Tiene una capacidad de superación brutal. Brutal... Bueno, ese año ya ganó Roland Garros».

Nadal debutaba en este Grand Slam y los gurús del tenis ya le colgaban la etiqueta de gran favorito. Irracional. Nunca visto. Y claro, nervios, presión... y convicción. «Una cosa es ser realista, o no ser arrogante, y la otra es ser tonto. Cuando vienes de ganar en Montecarlo, Barcelona y Roma, evidentemente que te sientes preparado, porque los jugadores que te vas a encontrar en París no son distintos a aquellos con que has jugado en los torneos anteriores. Voy a Roland Garros pensando en ganar, no te voy a engañar», recuerda en *Tennistopic*.

Burgsmuller y Malisse son las primeras víctimas. Gasquet y Grosjean, los siguientes, y el público francés se queda sin compatriotas en liza. Qué mal se lo tomaron... Pitaron, abuchearon, jalearon las dobles faltas e insultaron. «Un escándalo monumental» o «bochorno de protestas y abucheos», relatan las crónicas del día. Hasta el juez de silla se vio obligado a parar el partido durante ocho eternos minutos. Otra grada que bulle y Grosjean que reacciona. ¿La diferencia? Esta vez, aunque 15.000 pulgares señalasen hacia abajo, cual Circo Romano, nadie apabulló a Rafael y reaccionó antes de que la lluvia decidiese aplazar el duelo hasta el día siguiente. 6-0, 6-3 y nueva herida cerrada.

En cuartos de final hincó la rodilla Ferrer, y Nadal ya estaba a solo dos pasos de la meta. Dos largos pasos, eso sí. «Después llegas a semifinales y juegas contra Federer, pues juegas contra Federer. No me siento favorito, pero salgo a jugar y a intentar ganar el partido». Es 3 de junio de 2005: su decimonoveno cumpleaños. Por primera vez juega en tierra batida contra el suizo y por primera vez Roger encajará nueve roturas de servicio en un único partido. El número uno del mundo ya sufre la pesadilla que le acechará el resto de su carrera.

«Mi decepción es obvia. Solo quedaba esto antes de la final y, quizá, mi oportunidad de ganar. Pero la decepción está bajo control. No voy a destrozar el vestuario ni a retirarme del tenis. No estoy en ese punto. Siento que la motivación es grande para volver los próximos años y hacerlo mejor», concluye Federer. Volverá, lo hará mejor y ganará... siempre que al otro lado de la red no esté su enemigo íntimo.

Nadal ya está en su primera final de un torneo del

Grand Slam. París está a punto de conocer a su nuevo monarca. La República de Francia va a convertirse en el Reino de Manacor. El último escollo, Mariano Puerta, un argentino sin renombre ni resultados de tronío, apenas dos títulos menores. El partido es traicionero, sucio (poco tiempo después se demostrará, sanción por dopaje mediante, que Puerta tampoco jugaba limpio). La victoria, deliciosa, brillante.

Con diecinueve años y dos días, en su primera visita a la arcilla parisina, Rafa Nadal es campeón de Roland Garros. «Por primera vez en mi vida he llorado al ganar un partido». Manolo Santana, Andrés Gimeno, Arantxa Sánchez Vicario, Sergi Bruguera, Carlos Moyá, Albert Costa y Juan Carlos Ferrero ya tienen compañía. Todo son aplausos y halagos. Agasajos unánimes. Demasiada euforia, que no impregna a las dos personas que ya piensan en el siguiente paso. En que la meta puede ser el inicio de un nuevo camino.

Con diecinueve años y dos días, Rafael ha cumplido su sueño… su primer sueño. Tiene más. En plena celebración, se acerca a su tío Miguel Ángel y le dice al oído una frase que recogen Jaume Pujol-Galceran y Manel Serras en *Rafael Nadal, crónica de un fenómeno*: «He ganado un Grand Slam y ya no me lo quita nadie. Pero no me conformo con esto. Quiero más». No es soberbia, es ambición. Son ganas de seguir trabajando y mejorando día a día, sudor a sudor.

A la fiesta no ha ido su tío Toni, que mañana vuelve a casa temprano. «Solo le puse una nota, porque él salió a celebrarlo y yo no fui, con las cosas que creía que había hecho mal durante el partido». ¿Qué cosas? «No lo sé. Creo que habíamos corrido demasiado, pero no me acuerdo».

Rafael lee la nota en el tren que le lleva a Halle, rumbo a la hierba. «Hay cosas que puedes y debes mejorar. Creo que Puerta ha jugado un mejor tenis que tú, porque sus golpes de drive han sido más ajustados y potentes que los tuyos. Ha arriesgado más. Creo que debes jugar más agresivo. Hay cosas que debes corregir», cuentan Pujol-Galceran y Serras.

Toni tampoco entiende de autocomplacencia. Él también quiere que su sobrino se supere a sí mismo y solo conoce el camino de la exigencia. «Mi tío Toni, el preparador de tenis más inflexible que existe, es por lo general la última persona del mundo en ofrecerme consuelo; me critica incluso cuando gano», confiesa Rafael en su autobiografía. «Vemos muchos vídeos de tenis, sobre todo de mis partidos, los que he ganado y los que he perdido. Todo el mundo procura aprender de las derrotas, pero yo procuro aprender también de mis victorias. Cuando ves el partido que has ganado, a menudo te das cuenta, a veces con un escalofrío, de lo cerca que has estado de perder».

Nadal es campeón de Roland Garros, sí. Quiere más, también. ¿Satisfecho? Por supuesto. ¿Saciado? Jamás. «Para mí ha sido un año inolvidable, el año que ascendí en el ránking y ojalá dentro de unos años pueda contar que sigo estando ahí arriba». Entre los que esperan para hacerse una foto con él y su copa no está John McEnroe, pero estará. «Es un muchacho que no le teme a nada. Es tan joven que ni siquiera sabe lo que es tener miedo. Nadal es el mayor fenómeno que ha surgido en el tenis desde hace muchos años. Y será una bendición para este deporte». Visionario.

¿Y Gastón Gaudio? Su verdugo en Buenos Aires empieza a vislumbrar lo que años después asumirá: que le pasó por encima, pero no es mejor que Rafa. Sabe que entre el 11 de febrero y el 5 de junio de 2005 media un abismo. 114 días entre el averno y la gloria. «Nadal es un fuera de serie. Es único en el mundo. No creo que haya otro igual de *acá* a cien años y va a conseguir todo lo que se proponga», dirá cuando la cuenta de grandes capturados vaya por diez. Montañés en Acapulco y Grosjean en París vivieron en primera fila la metamorfosis.

¿Qué se siente al ganar por primera vez un Grand Slam? Se lo preguntan a Rafael nada más llegar a la sala de prensa y la Copa de los Mosqueteros, presente, aguarda su respuesta. Esta ahí. La mira. La toca. «Te pasas toda tu vida pensando y hablando sobre cómo será ganar un grande, y de repente te das cuenta de que lo has ganado. ¿Qué puedo decir?». Que no te conformas. Que quieres más.

Posdata: «Cuando sientes que vas en línea ascendente y que ganas el primer Grand Slam a los dieciocho años... Yo en aquel momento pensaba en seguir ganando, no en que había ganado un Grand Slam. Pase lo que pase, he conseguido algo por lo que ha valido la pena todo lo que he hecho, pero eso en ningún momento me llevó a creerme mejor o a dejar de trabajar». Una década después, camino ya de su decimocuarto grande, Rafael dibuja su mantra vital en *Tennistopic*. Pues sí, quería más.

Lo ganó el 5 de junio de 2005, pero todo empezó mucho antes...

«Se suponía que iba a ser algo divertido... ¡Coño, mi hijo Daniel es mayor que él!». Solo tres tenistas en toda la historia de la raqueta han ganado el torneo de Wimbledon en sus dos formatos, júnior y sénior: Stefan Edberg, Roger Federer... y Pat Cash.

Patrick Hart Cash ha reconquistado Wimbledon y la Copa Davis en una época sombría del otrora invencible tenis australiano, que recuerda con nostalgia a los Laver, Emerson y Newcombe. Allá por 1987 la Catedral lo corona sin ceder un solo set ante Wilander, Connors y Lendl en los tres duelos decisivos. Casi nada.

Rafael Nadal Parera ha sido campeón de Baleares

(con ocho años, contra rivales de doce), de España (con diez y adversarios dos años mayores), y del Nike Junior Tour, torneo internacional de gran prestigio, en categoría alevín e infantil. Casi nada.

Pat tiene 36 años. Es un hombre. Rafael, 15. Un niño. Corre el año 2001 y el nuevo milenio está a punto de alumbrar una fábula que viajará tiempo después entre susurros incrédulos por el universo de la raqueta. «Sí, lo recuerdo. Yo era un jugador retirado en un torneo de leyendas». La tercera edición del Mallorca Grand Champions. En sus anales, Borg, Wilander, Nastase, Vilas, Gómez, Noah o Bahrami. En la pista, Boris Becker, Jakob Hlasek, Joan Aguilera... y Pat Cash. Todos contra todos.

Becker es la gran estrella, el reclamo. «Su concurso en el torneo ha servido para vender todo el papel —se ha montado incluso una grada más que en la segunda edición—, pero el tenista germano no ha correspondido», narra el diario *Última Hora*. Es sábado, 29 de septiembre, y en el Santa Ponça Country Club se habla de gafes y boicots: la lluvia destrozó la jornada del viernes y el ganador de seis títulos del Grand Slam se carga la del sábado.

Aparece, deambula y desaparece. «Una vez finalizó el primer set (2-6), Boris Becker pidió un minuto para ir al servicio, y ya no volvió. Por megafonía se anunciaba que tenía problemas estomacales y que se daba por finalizado el partido. Tras una sonora pitada, el grueso de los asistentes se marchó». La gran cita del día termina con el alemán indispuesto y Hlasek peloteando con dos recogepelotas. Bronca.

Amanece el domingo y Frank Lichte, organizador del torneo, desayuna con titulares demoledores: «Becker defrauda a los aficionados», «Una indisposición de Becker deja al Grand Champions sin reclamo», «El Mallorca Grand Champions se mueve en la cuerda floja». *Última Hora*, *Diario de Mallorca*, *El Mundo-El Día de Baleares*... Unanimidad.

La solución, de bendita emergencia, no está lejos. Ya estaba anunciada su presencia en las exhibiciones de dobles, precisamente formando pareja con el tenista alemán.

—Pat, vas a jugar contra este niño.

—¿Eh?

—Es el mejor júnior del mundo. Las entradas están vendidas y tenemos que programar un partido.

—Vale. No hay problema.

Ese niño es Rafael Nadal. ¿Rafael, qué? Rafael Nadal, absoluto desconocido para el mayoritario público germano. «La gente había pagado ya las entradas y hubo mucho follón. Se quejaban los alemanes y otros *guiris* que venían a ver a Becker. Lo que pasa es que después venía Rafa, y con él medio Manacor. Ahí sí que se llenó de verdad», recuerda Joan Aguilera, número siete del mundo en 1984.

El cambio de cartel obliga a la organización a reaccionar. Baja las entradas a mitad de precio y ofrece la devolución del dinero a los que las hubieran comprado antes de la ausencia de Boris. Muchos aceptan... y todos se arrepienten. El rumor circula sin freno: «Hostia, Rafa va a jugar contra Pat Cash, un tío que ha ganado Wimbledon».

La grada luce espectacular. Sol, ganas de diversión y muchos ánimos para su paisano. Pocos de los presentes le han visto en acción antes. «Ese es el Rafelet, de Manacor. No veas cómo juega...», sentencia uno de los privilegiados. Pat no está entre los afortunados y prevé una pachanga divertida. Algo rápido y a centrarse en el torneo de verdad, el de los hombres curtidos en mil victorias. Error.

Aguilera sí sabe lo que le espera a su compañero de generación. Ya ha cruzado argumentos con Nadal en la pista secundaria. Y perdió la discusión: «Fuimos a calentar Hlasek y yo contra Rafa. Los dos, contra él. Yo a los quince o veinte minutos lo tuve que dejar porque era un espectáculo cómo venía la bola. Era un niño y ya le pegaba de otra manera». Es diferente, excepcional. «Le dije a Jakob: "Joder, esto es otra dimensión. Este chaval tira duro". Era muy joven, pero se veía venir lo que pasó después».

Lo que pasó después. Lo que padeció Cash. «Fue asombroso. Jugó exactamente como lo hace ahora, aunque obviamente no con tanta fuerza. Porque fue... ¿cuándo es su cumpleaños?». El 3 de junio. «Y esto era en septiembre, así que tenía justo quince años». Sí, un niño. «Había mucho público y era una exhibición. Jugábamos solo para divertirles». Nuevo error de Pat, porque Rafael ya tiene grabado a fuego el lema más rentable del tenis: siempre una bola más.

Y en cuanto empieza el partido, desaparecen las caretas. Nadal no ha venido solo a divertir al público; ha venido a competir por cada centímetro de pista, a sudar cada grano de tierra batida. No viste el disfraz de bufón; ya porta su armadura de campeón. «Golpeaba cada pelota y corría a todos los lados. Estaba poseído. Y ganó el primer set». 7-5. «El público rugía y se lo pasaba en grande».

«¡Guau! Este niño es realmente bueno», piensa el campeón de Wimbledon. «Vale, ahora voy a ganarle. No sería nada divertido perder con este crío». Se acabaron las bromas. Nada de exhibiciones, toca competir. «Me puse serio. Saqué, voleé y gané el segundo set». 2-6. Duelo igualado.

«Entonces jugamos el Champions tie-break». El momento de la verdad. La inviolable ley de la experiencia debe imponerse. El hombre debe educar al niño. No se discute con los adultos. Cuando seas mayor, ganarás dos sets. Bla, bla, bla, parece responder Rafael. Él no entiende de reverencias. Ni de nervios. «Jugó un tenis simplemente fantástico. Yo pensaba que se pondría nervioso, pero no lo hizo». No se asusta ante los grandes retos. «Si coges un millón de niños tenistas, solo uno no se pondría nervioso en ese momento. Y ya sabes, ese fue Nadal».

«Corrió, corrió y pegó golpes increíbles, esos que solo pega él». De otra dimensión, decía Aguilera. «Le veías correr de un lado a otro de la pista y tirar un *passing* asombroso. La gente se volvía loca. Jugó muy, muy bien. Increíble». El niño vibra, el hombre tiembla. «Vale, vamos a divertirnos. Ya se pondrá nervioso. ¡Y al final fui yo el que me puse nervioso!».

Sí, ha sucedido. 12-10, refleja el marcador. Rafael ha ganado a Pat. «Dios mío, ¡qué embarazoso! Perder con este niño...». Nadal, aprendiz de tenista, ha ganado a Cash, campeón de Wimbledon. Difícil de asimilar, para el derrotado y para todos los presentes. «Camino del vestuario, todo el mundo me miraba»...

—¿Qué te ha pasado? Has perdido con un niño de quince años.

—Creedme, este chaval es realmente bueno. ¡Guau! Este niño es asombroso.

—Solo es un crío, Pat.

—En serio, su bola pesa mucho y lleva mucho efecto.

—Sí, sí, lo que tú digas...

Pero hay alguien que no muestra signos de sorpresa. Alguien que no tiene ningún reproche. En el vestuario espera Joan Aguilera. «En ningún momento pensé eso, porque al entrenar con él ya me había dado cuenta de que era otro tenis. Insisto, otra dimensión distinta a la nuestra. Otro mundo». Es Nadal. «Horas antes, en ese mismo vestuario, miraba al suelo y no decía nada. Imagínate, estar con Becker, con Cash... Era muy tímido, no hablaba inglés y tenía solo quince años, pero al salir a la pista se convertía en una fiera». Es Rafael.

«Rafael Nadal le saca los colores al ganador de Wim-

bledon 87», «el balear Rafael Nadal fue el gran protagonista», «Rafael Nadal sonrojó ayer a Pat Cash». Rafael,
Rafael y Rafael. Nadal, Nadal y Nadal. La prensa me-
moriza un nombre y un apellido que escribirán a menudo.
Archiva fotografías de una derecha que admirarán
siempre. «El tenista mallorquín se ha erigido en la gran
estrella del torneo». ¿Boris, qué? «Gana a Cash y salva
el torneo tras el abandono de Becker».

Pat tarda un buen rato en asumirlo y cuatro años en
superarlo. «Se suponía que iba a ser algo divertido...
¡Coño, mi hijo Daniel es mayor que él!». El 27 de mayo
de 1986 nació Daniel Cash, seis días antes que Rafael
Nadal Parera. Uno, en Noruega; otro, en Manacor. 3.000
kilómetros les separaban. Quince años después, un domingo cualquiera, el destino les unió en aquella tarde
que intuía sonrisas y ofreció asombros.

«Dios mío, ¡qué embarazoso! Perder con este
niño...». Ese día, ese 30 de septiembre de 2001, un chaval que apenas asomaba por encima de la red dejó de ser
Rafael para convertirse en Nadal. Para avergonzar a
todo un campeón de Wimbledon. «Pero cuatro años después estaba ganando Roland Garros... ¡Y dejó de ser
embarazoso!».

Posdata: En 1983 Pat Cash le dio a Australia el punto
definitivo en la final de la Copa Davis. Con 18 años y
215 días, se convertía en el tenista más joven de todos
los tiempos en participar en la pelea definitiva por la
Ensaladera y salir triunfador. En 2004, con 18 años y
187 días, Rafa Nadal le quitó el récord. Dichoso niño...

Capítulo II

ROLAND GARROS 2006:
Siete cimas y una premonición

«Ganar de nuevo supondría, para mí y mi familia,
que el calvario se habría exorcizado, aunque no olvidado.»
RAFAEL NADAL

*M*ustio. Andaba por casa sin ser Rafael, con la mirada perdida. Otra vez el pie izquierdo. Otra vez. Por tercera vez. La lesión en la articulación, producida en Estoril 2004, no le permitió debutar esa temporada en Roland Garros. Lo castigó un año más tarde al final del curso y, ahora, en 2006 lo dejaba fuera de Australia. Cada vez que imaginaba por un segundo que la inflamación le podría impedir recuperar su mejor tenis, se apagaba su sonrisa.

Las visitas a la consulta del médico se multiplicaban, a la par que los diagnósticos no descartaban una posible retirada ¡a los 19 años! El campeón del Grand Slam francés en 2005 solo pensaba en volver a disfrutar con la raqueta, aunque revoloteasen en el horizonte los peores presagios. Su regreso se produjo en febrero de 2006 bajo el techo de la pista dura de Marsella. Mientras tanto, los expertos sanitarios se frotaban los ojos:

—Toni, no lo entiendo.

—¿A qué se refiere, doctor?

—De verdad, no entiendo cómo este chico puede jugar con lo que tiene...

Podía jugar, sí. ¡Y cómo lo hacía! La inflamación que aparecía una y otra vez, después de aquella maldita fractura por estrés en el pie, no le impidió reproducir las victorias de la temporada anterior en Montecarlo, Barcelona y Roma. Pero ¿sería capaz de repetir también en París? La dureza de dos semanas compitiendo con los mejores del mundo a vida o muerte sembraba algunas dudas. Eso sí, con lesiones o sin ellas, Nadal se había plantado en Roland Garros con 53 victorias consecutivas sobre tierra batida, tantas como había fijado Guillermo Vilas en 1977.

De nuevo en la Philippe Chatrier, el escenario donde había conquistado en su debut su primer grande tan solo un año antes, Rafael se enfrentaba a una situación inédita. Jamás había defendido un título de tal magnitud. Y a pesar de haber reforzado su confianza en los torneos previos sobre arcilla, con tres trofeos y victorias ante especialistas en la superficie más lenta como Guillermo Coria, Gastón Gaudio o Fernando González, aquellos fantasmas que le aterrorizaban al principio de la temporada volvían a hacerse notar días antes del comienzo del torneo parisino: «No tengo la frescura de cuando todo era nuevo», avisaba Nadal.

Ni física ni mental. Había dejado de ser el niño prodigio, que sin presión sorprendía a la élite del circuito. Ahora era uno más de los nobles del ránking, formaba parte del selecto grupo de cabeza, y sus armas ya no eran un secreto para nadie. Enfrente tenía siete partidos para desafiar lo imposible, siete montañas que escalar hasta la cima, siete pasos de gigante hacia su segundo título de Roland Garros. Pero a los problemas en el pie se había unido por primera vez el factor de la presión. Y la responsabilidad del campeón llamó a su puerta: «Estaba muy nervioso y no me respondían las piernas», recordaría Nadal años más tarde sobre esa edición de 2006.

—Rafael Nadal, cabeza de serie número dos.

—Veamos su rival en primera ronda…

—¡Robin Söderling!

El sorteo del cuadro que narraba la radio francesa no deparaba el estreno soñado en París. La puesta en escena sería ante el número 50 del mundo, con el que nunca se había cruzado en una pista de tenis, pero al que conocía bien. La tensión inicial y una tarde ventosa colorearon un partido de tonos grisáceos. Con la mirada de Guillermo Vilas clavada desde la grada, Nadal peleaba por seguir en el torneo y superar su primer obstáculo: pulverizar el récord de la leyenda argentina, cuando aún no había cumplido los 20 años.

7-5, 6-2 y 6-1. Objetivo conseguido. Aunque las nubes amenazaban con descargar su furia, el cielo galo le respetó y le encumbró. Rafa Nadal acababa de escribir una nueva página para su leyenda: con 54 ya era el jugador que más victorias seguidas había encadenado en tierra batida. El propio Vilas bajó hasta la arena para felicitar a su sucesor y entregarle un galardón honorífico.

—¡Enhorabuena, Rafa! —le susurró al oído mientras le abrazaba.

—Lo siento por ti, Guillermo, pero me hacía mucha ilusión —contestó Rafael.

Sería una de las primeras reverencias ante el futuro monarca de la arcilla. «Para mí hoy ha sido un día importante. El primero siempre hay nervios y sabía que sería difícil», se confesaba ante el público aún presente en la Philippe Chatrier. «En realidad, no comencé a pensar en el récord hasta que estuve muy cerca», se sinceraba más tarde en la sala de prensa. Era 30 de mayo: el mismo día que quinientos años antes Cristóbal Colón había emprendido su tercer viaje hacia América, Nadal inició su segundo viaje hacia un nuevo título de Roland Garros.

Cada asalto escondía una batalla oculta. Y el de segunda ronda contra el estadounidense de ascendencia coreana Kevin Kim, que llegaba en condición de *lucky loser* (jugador que entra en el cuadro final por la renuncia de otro), no fue una excepción. Pero ¿qué cuita desconocida podría ocultarse más allá de la simple pelea por la victoria ante el número 116 del ránking ATP? Mucho más cuando el propio rival reconocía la superioridad de Nadal: «Es grandioso jugar aquí contra Rafa. Es el campeón y un tío admirable. Sobre tierra batida, la ventaja es suya».

Pero, efectivamente, había una nueva cima que superar. Nadal no se encontraba cómodo. Había perdido el *feeling* con la pelota y la precisión en los entrenamientos. ¿Qué ocurría? La respuesta era tan sencilla como preocupante: el cordaje. Las cuerdas de su raqueta no eran las de siempre, las de 35 milímetros, sino de 30. Aunque ya había pedido a Carlos Costa que encargara el adecuado, la lluvia retrasó su salto a la pista, que no se produjo hasta el día siguiente. Ni siquiera gastó más de dos horas en derrotar al americano por 6-2, 6-1 y 6-4, ya con su cordaje de confianza.

No obstante, tiempo atrás ya había aprendido a sortear este tipo de problemas. La escena se remonta hasta julio de 2002. El Club de Tenis Gandía acoge el séptimo Future del año en España y Rafa Nadal e Iván Esquerdo, campeones de los dos torneos anteriores, comparten entrenamiento. De repente, en mitad de un peloteo, se escucha un sonido extraño desde la raqueta del manacorense. Una de sus cuerdas había reventado. Pero el punto sigue... Toni Colom, entrenador en aquel torneo, responde a la inevitable pregunta de su rival:

—¿Qué hace jugando así?

—Quiere intentar controlar el golpe cuando rompe las cuerdas.

—¿Y por qué no cambia de raqueta?

—No quiere perder ni siquiera este punto.

Educado por su entorno para no quejarse ante la adversidad y con una ambición innata para querer dominar cualquier situación, desde su etapa como adolescente aprendió a afrontar los problemas. Y así lo hizo cuatro años más tarde ante Kevin Kim.

Las sensaciones habían mejorado cuando se presentó en la tercera ronda. Al otro lado de la red le esperaba una de las grandes esperanzas del tenis francés, Paul Henri-Mathieu, el rival más duro hasta entonces (Top 32). Pero esta vez los obstáculos no se encontraban solo en la pista. Además de la inspiración del rival, se presentaba una batalla física —tuvo que pedir asistencia médica— y mental, contra el entregado público local.

Unos meses antes, después de tres derrotas consecutivas, Mathieu había arañado por primera vez un set a Nadal en Dubái. El francés creía haber encontrado la fórmula para doblegar al español, sin temer la impresionante cantidad de triunfos consecutivos que presentaba en su andadura sobre tierra batida. Una hermosa volea que terminó en dejada sirvió para certificar su superioridad en el primer set. 7-5 y Paul-Henri mandaba en el marcador. A Nadal no le quedó más remedio que aferrarse a sus orígenes y reactivar su espíritu: siempre una bola más.

El partido se marchó al terreno del sufrimiento, la entrega y la lucha. Correr hacia el infinito hasta vaciarse. Durante casi cinco horas, español y francés bregaron en la pista, mientras la grada trataba de insuflar aliento a su jugador y regalar silbidos y reproches a su rival. Sin embargo, en ese terreno pantanoso para cualquier otro, el manacorense se hace más fuerte. Un triple 6-4 sirvió para que la Philippe Chatrier le despidiera entre pitos y Mathieu se ahogara entre lágrimas en el vestuario.

Los nervios del debut, un cordaje defectuoso y un público hostil. Las dificultades se acumulaban, pero Rafael siempre hallaba alguna vía de escape. En octavos de final la prueba era aún más difícil que las anteriores: mirarse al espejo. Con sus miedos y debilidades; con sus virtudes y fortalezas. Al descubierto. En la siguiente ronda esperaba un rival tan pasional y luchador como él, al que jamás había derrotado: Lleyton Hewitt. «Su juego agota a un montón de jugadores... El mío también», reconocía el ex número uno del mundo australiano en la previa del partido.

La pista dura había sido juez de sus tres enfrentamientos anteriores, repartidos entre Toronto (2004) y el Abierto de Australia (2004 y 2005), todos sellados con victoria para Lleyton. Pero en la arcilla francesa, Nadal estaba blindado contra cualquier ataque ajeno. Incluso los de Hewitt: «Rafa tiene esa actitud de "nunca me des por muerto". Cuando entramos a pista, entramos en zona de batalla». Y la contienda cayó por primera vez del lado del español. 6-2, 5-7, 6-4 y 6-2.

En cuartos de final le esperaba otro rival peligroso: Novak Djokovic. Con 19 años recién cumplidos y aún sin una sola final en algún torneo del ATP Tour en su historial, muchos ya le señalaban como una de las grandes promesas del tenis mundial. Pero en Roland Garros no pudo demostrarlo ante Nadal. Los dolores de espalda le impidieron completar un partido que el español dominaba 6-4 y 6-4. Aquel 7 de junio la verdadera dificultad se presentó fuera de la pista y ante otro de sus grandes rivales en aquella época: el inglés.

—*Rafael, Djokovic told us he felt he had the match under control till his back problems. Do you agree with that?* —lanzó un periodista de la prensa internacional.

—¿Qué ha dicho? —contestó atónito.

—Que Djokovic dice que tenía el partido controlado hasta su problema con la espalda —tradujo Benito Pérez-Barbadillo, miembro del Departamento de prensa de la ATP por entonces.

—¡Oh, *yes*! —acertó a responder Nadal.

A pesar de las risas que desató su espontánea y escueta intervención, volvía a escabullirse de otra situación comprometida. Ya estaba en semifinales, donde esperaba el número cuatro del mundo, Ivan Ljubičić. El español desactivó al bombardero croata sin problemas (6-4, 6-2 y

7-6), un jugador que terminaría aquella temporada como el tenista con más saques directos conectados.

Sin embargo, cuando parecía que por fin había esquivado cualquier percance externo a la competición en su camino hacia la última ronda en París, de nuevo, los sobresaltos. Sexto contratiempo. De nuevo, en rueda de prensa, donde Ljubičić, al contrario que en la pista, hostigó sin tregua. «Es ridícula la cantidad de tiempo que tarda entre puntos. Creo que el juez de silla debería ser más estricto porque a pesar de sancionarle con un *time violation* nada cambió», sentenció, no sin antes mandar un último mensaje relativo a la final: «Me encantaría ver ganar a Federer. Es probablemente el mejor jugador de la historia, por lo que sería bonito verle levantar el trofeo en París».

Allí, en la última ronda, volverían a mirarse a los ojos Rafa y Roger, como un año antes lo habían hecho en las semifinales en ese mismo escenario. La revancha estaba servida. Por primera vez, a sus 24 años, el suizo optaba a completar el Grand Slam. Tras siete intentos fallidos desde su debut en 1999, estrenaba su lista de presencias en finales de Roland Garros. Y, además, portaba el cartel de favorito...

—¿Has escuchado las palabras de Ljubičić?

—He estado en el circuito muchos años y nunca he tenido un problema con nadie.

—Deseaba la victoria de Federer...

—No me molestan esos comentarios.

—¿Ah, no?

—Mucha gente quiere que gane yo. Estoy tranquilo y jugando bien.

Si Nadal quería defender su corona tenía que superar un último obstáculo, el más escarpado, la verdadera cima: al número uno del mundo, a un ser inmortal en las finales de los Grand Slam. Las siete anteriores que había afrontado entre Wimbledon (tres), US Open (dos) y el Abierto de Australia (dos) habían caído de su lado. Pero si

Federer pretendía pasar a la eternidad debía doblegar a su antihéroe: cinco derrotas en seis partidos, ninguna victoria sobre tierra batida y tres finales cedidas de manera consecutiva entre Dubái, Montecarlo y Roma ese mismo año resonaban en su interior.

En ninguno de los 13 sets sobre tierra batida que habían disputado antes, Federer se había mostrado tan superior como en el primer parcial de aquella final. Sin dar tiempo a entrar en el partido a Rafa, el suizo dominaba 6-1. «Notaba que las piernas no me respondían»... Hasta que respondieron. Hasta que Nadal volvió a ser Nadal. Todo lo que ocurrió a continuación fue una pesadilla para Roger y un guion perfecto para Rafael. 6-1, 6-4 y 7-6. Tres horas después, Nadal era campeón de Roland Garros por segunda vez.

Rebozado en la arena de la Philippe Chatrier, repitió el ritual del año anterior. Después de saludar a las autoridades españolas, saltó a la zona de palcos. Tras esquivar un laberinto de desconocidos, allí estaban ellos. Su tío Miguel Ángel, el primero en saludarle. Carlos Costa y Toni continuaron la felicitación al campeón, pero un poco más arriba se encontraba su última parada: su madre, su hermana y su padre. Con él se fundió en el abrazo más largo. «Gracias por todo, papá», murmuró. Sebastián jamás había llorado en una pista de tenis. Hasta ese día.

La hazaña de Rafael no tenía precedentes. Ninguna otra raqueta en la historia había encadenado sendos títulos consecutivos en sus primeras participaciones en un mismo Grand Slam. Además, Nadal se colocaba a la altura de Sergi Bruguera y Manolo Santana, los únicos españoles en el cuadro masculino capaces de levantar en dos ocasiones la Copa de los Mosqueteros. Fue una hazaña imposible para Albert Costa, Juan Carlos Ferrero e, incluso, su amigo y modelo a seguir, Carlos Moyá.

Con el trofeo ya entre los brazos, aún hubo tiempo para algún imprevisto más que superar. Los siete retos para llegar hasta la cima no habían sido suficientes. Rafael tomó el micrófono y entonó el discurso habitual de los campeones, aunque esta vez guardaba unas palabras de admiración a Roger: «La verdad es que es el mejor jugador de la historia, nunca había visto un jugador tan completo desde que nací. Y solo tengo palabras de felicitación no solo por el torneo sino por todo lo que está haciendo en los últimos años».

El maestro de ceremonias reprodujo en francés las palabras del español. A continuación, una sinfonía sonora. El público pitaba. ¿Qué había pasado? ¿Por qué silbaban si Rafa se postraba a los pies de Federer? La traducción había atribuido al propio Nadal aquellas alabanzas dirigidas hacia su rival.

«El traductor se equivocó. Creo que no prestó mucha atención a lo que estaba diciendo. Luego vino a disculparse personalmente, porque yo estaba hablando muy bien de Federer, y empezó a decir que si yo era el mejor de la historia, que si yo era muy completo, que si era muy bueno... Y no dije en ningún momento nada de eso. Simplemente lo estaba diciendo por Federer», se defendería Rafael poco después en TVE.

Nadie lo sabía aún en la Philippe Chatrier, pero esa confusión se convertiría años más tarde en una premonición certera: el monarca de París respondía al nombre de Rafael Nadal. De momento, bicampeón.

Lo ganó el 11 de junio de 2006, pero todo empezó mucho antes...

Suena un teléfono móvil en el Am Rothenbaum de Hamburgo. Contesta Toni Nadal.

—¿Cómo ha podido hacer esto? Moyá se portó muy bien con él siempre.

—Ya, mamá, pero esto es tenis.

—Pues Carlos no se lo merecía. Lo siento muchísimo.

La apenada interlocutora es Isabel Homar. O Bel. «Me da igual, como quiera». La madre de Toni, la abuela de Rafael. Es 14 de mayo de 2003 y una victoria de su nieto le ha disgustado. «Esta vez, en lugar de estar contenta, no lo estuve. Sentí que le ganara». Centenares de triunfos después, jamás volvió a apenarse por ningún éxito de Nadal. «Gracias a Dios nunca más me hizo caso».

Aunque la mayoría de esas victorias las saboreó con retraso. «Muchos partidos los veo en diferido. Muchísimos. Me voy a la terraza porque en directo me supera más la pena que paso que ver el partido. En cambio en diferido digo: "¡Qué bueno es!"». ¿Y cuando viaja a Roland Garros, Wimbledon o el US Open? «No puedo ir a la terraza, pero me tomo un orfidal y así estoy tranquila».

Carlos Moyá, 26 años y número cuatro del mundo, pierde 5-7 y 4-6 con Rafa Nadal, una década menor y 87 del ránking. «Sé la historia. Me la han contado. Claro, las abuelas al final no están en la pista y no conocen las ganas de ganar que tiene siempre su nieto, una de las claves de su éxito». La arcilla alemana asiste, sin saberlo, a la entrega de un testigo histórico: el por entonces único número uno del tenis español pierde su primer duelo ante el futuro número uno de todo nuestro deporte.

Moyá viene de ganar Buenos Aires y Barcelona. En los últimos cuatro meses ha triunfado ante Gustavo Kuerten, Michael Chang o Marat Safin, todos campeones de Grand Slam. Nadal viene de perder cuatro de las cinco finales del circuito Challenger que ha jugado. En lo que va de temporada ha probado el amargo trago de la derrota ante Sergio Roitman, Kristof Vliegen o Filippo Volandri, aún sin debutar en un Grand Slam. Pero en la fría noche de Hamburgo, pierde Moyá y gana Nadal.

«Tengo un recuerdo no muy grato. Hamburgo era un torneo que no se me daba bien normalmente. Las condiciones no me gustaban mucho. Pero bueno, habíamos entrenado mil veces y nunca me había ganado», recuerda

Carlos. «Eso sí, ya era un jugador al que respetabas y con el que la presión era grande. Ya había ganado a Albert Costa y sabes que tarde o temprano te va a ganar. Sinceramente no esperaba que fuera ahí, pero sucedió y lo asumí con normalidad absoluta».

Nadal había derrotado a Costa en Montecarlo y un mes después repetía ante Moyá. Dos campeones de Roland Garros inclinados por un niño de 16 años. Cierto, pero un niño distinto. «Sabía que era la primera de las muchas veces que me iba a ganar, así que tocaba aceptarlo y desearle suerte». Deseo sincero. A corazón abierto.

«No me dio pena ganar a Moyá, un buen amigo y una estrella del circuito. Me supo mal por él, no por mi victoria. Yo siempre salgo a ganar y quiero ganar, aunque sea mi hermano o un gran colega. No conozco a nadie que salga a no ganar. Si Carlos hubiera competido a su nivel y estilo, me habría ganado», reconoció el vencedor en *El País* un año después de la hazaña.

Son Carlos y Rafael. Charly y Rafa. Padrino y ahijado. Maestro y alumno. Mentor y pupilo. Ídolo y niño. Amigos. Fuera de pista, predilección mutua y admiración recíproca. Con una red de por medio, irreverencia absoluta. Y entre medias, risas y consejos, bromas y lecciones, apuestas y conversaciones. Se cruzaron en Stuttgart, allá por 1998, y convivieron en Mallorca, ayer, hoy y siempre.

Con la llegada del nuevo milenio empezaron a entrenarse juntos tres veces por semana. Carlos, ya consagrado, recuperaba vitalidad y pasión juvenil. Rafael, aún en ciernes, crecía y mejoraba. Aprendía. Y Joan Forcades, preparador físico de ambos, se divertía. «¿Sabes que Carlos puede hacer diez repeticiones en treinta segundos? Como hoy te veo un poco cansado, déjalo cuando llegues a ocho». Lógicamente, Nadal no paraba hasta que la cuenta llegaba a doce.

«Hacíamos físico juntos y nos picábamos mucho. Yo me inventaba que había hecho lo que sea, y él intentaba hacer una más, aunque muriera. Su espíritu competitivo no es solo en la pista, lo aplica haga lo haga. Había una rivalidad sana, un pique sano», confiesa Moyá. Una rivalidad, un pique y una pregunta.

Rafael tenía doce años cuando vio por televisión a Charly ganar Roland Garros. Aún no se conocían y ya soñaba con emularle. ¡Oh, ganar un Grand Slam...! Y así llegó el momento de cuestionar al alumno sobre los méritos del maestro.

—Rafa, ¿a ti te bastaría con una carrera como la mía?
—¿Cómo?
—He sido campeón de Roland Garros, llegué a la final en Australia y en la Copa de Maestros, gané la Copa Davis y fui número uno del mundo. ¿Firmarías mi palmarés?
—No. Todo eso que has conseguido es mucho, pero yo no firmo nada. Quiero ser yo mismo y llegar a todo lo que me permita mi juego.

«Desde el principio tuve claro que iba a superar lo que yo consiguiera». Moyá ya intuye que está ante un tenista mejor que él. «Estás hablando con un chaval que a esas edades ya había hecho historia en categorías inferiores. Ves que algo distinto tiene y que si lleva una progresión normal, es factible que te supere». No es prepotencia, es confianza en sí mismo. Ambición justificada. Aunque a veces se disfrace de osadía...

—¿Cuál es tu torneo favorito? El que más deseas ganar...

Respuesta inmediata. Sin titubeos.

—Wimbledon.

Con catorce años Rafael le confiesa su gran sueño y Charly no puede contener la risa. «Este no ha jugado en su vida allí. Cuando vaya y le hagan saque y volea, no gane un saque y le echen en segunda ronda a la calle, me imagino que cambiará de opinión». Pues no, no cambió. «Y ahí es donde ves que es alguien distinto y que se cree realmente todo lo que dice. La clave es que se lo cree. Y eso es lo que le hace ser tan bueno». Ocho años después de la confesión de Rafael, nada más cumplir los 22, Nadal conquistaba Wimbledon.

Porque sueña y se cree sus sueños. De hecho, los persigue hasta que la realidad supera a la fantasía, por muy utópica que pareciese. «Tiene algo que yo nunca tuve: una ambición sin límites. Cuando parece que ganar nueve Roland Garros es increíble, quiere el décimo. Y cuando ha ganado 14 Grand Slams, quiere el decimoquinto. Eso es ambición y solo la tienen los más grandes de toda la historia: Michael Jordan, Tiger Woods, Pelé... Estos deportistas pueden aspirar a eso; los demás... pues no». Simple y elocuente. Los demás... pues no.

Con dieciséis años Carlos Moyá aún no jugaba el circuito de Futures. A esa edad Rafa Nadal tumbó a dos campeones de Roland Garros. Con veinte años recién cumplidos Carlos Moyá celebraba su segundo partido ganado en un Grand Slam. A esa edad Rafa Nadal mordió su segunda Copa de los Mosqueteros. «Yo gané un grande y fui feliz; había cumplido la misión de mi vida. Rafa necesita ganar muchas veces y nunca será suficiente».

Y aunque Rafael intente oponerse... «Cuando consigues tu primer Grand Slam piensas: "Toda la vida trabajando para conseguir algo así y ya lo he conseguido". Mi pensamiento en aquel momento, muy equivocadamente fue: "Bueno, ahora ya he conseguido ganar lo más importante y ya tendré tranquilidad para el resto de mi carrera"»; Nadal acaba aceptando el juicio de Moyá: «Y es todo lo contrario. Ganas aquello, vuelves al siguiente año y aún estás más nervioso. Quieres más siempre y eso te lleva a estar cada vez con más tensión». Tensión asumida y reto cumplido.

Ya es bicampeón del Grand Slam francés. Acaba de superar a su ídolo, a su mentor, a su maestro. A su amigo. ¿Celos? ¿Envidia? Jamás. Cuanto más ganaba Nadal, mejor se llevaba Charly con Rafael. Solo un año después, de regreso a Roland Garros, le endosó un rosco. 6-4, 6-3 y 6-0. Y de nuevo Moyá se lo tomó con normalidad, con la certeza que ya había asumido años antes, cuando la perspectiva de la experiencia sucumbió ante la osadía de la juventud en aquellas charlas vespertinas.

«Era un Rafa muy fuerte, de los mejores que ha habido. Yo le veía como un muro infranqueable». Y él como un hermano mayor: «Carlos y yo somos jugadores distintos. Es muy complicado ganar un Grand Slam. Ha tenido una carrera brillante, ha estado muchísimos años arriba, y las comparaciones no son buenas. Él fue un *boom* para España. Gracias a él muchos de los que hoy estamos aquí nos aficionamos al tenis, nos ayudó a ver que era posible», confiesa Nadal en *El País*.

Cuenta Judy Murray que su hijo Andy, en plena juventud y durante un torneo de promesas, se acercó desesperado...

—¡Mamá, estoy harto!

Venía de presenciar un entrenamiento entre Moyá y Nadal.

—Rafa tiene a Carlos y todo lo que tengo yo para entrenarme es a mi hermano Jamie. ¡Mándame a España!

«Carlos es una persona muy importante en mi carrera. Es un modelo para mí. Entrenarme con él me ayudó mucho, pero sobre todo le respeto». Hoy y siempre, Rafa sabe que pisa el camino que Charly asfaltó. «Pobre del alumno que no supere a su maestro», dejó dicho Leonardo. Pobre del que no le respete y admire, amplía Rafael siglos después. Y ambos, Da Vinci y Nadal, tienen razón.

Posdata: Por cierto, ¿saben qué le dijo Rafael a Carlos al abrazarse en la red en aquella fría noche de Hamburgo? Dos palabras: «Lo siento». Disculpa idéntica a la de una abuela agradecida, aunque les separasen 1.600 kilómetros.

Capítulo III

ROLAND GARROS 2007
Rivales, siempre; enemigos, nunca

«A veces veo jugar a Federer en vídeo y me quedo
asombrado al comprobar lo bueno que es.
Me sorprende que haya sido capaz de derrotarle.»

RAFAEL NADAL

«*F*ederer es el rival más increíble al que me he enfrentado. Es el mejor jugador de la historia. Nunca había visto a un tenista tan completo», afirma Rafael. «Nadal es un gran jugador. No tengo nada que enseñarle. A veces hace cosas que yo solo puedo soñar. Es muy difícil jugar contra él», replica Roger.

El Madison Square Garden luce su mejor traje, el de las noches de gala. Es 26 de octubre de 1951 y Nueva York entera habla del combate entre el pasado y el futuro. La batalla del tiempo. Ocho asaltos después, Rocky Marciano retira a Joe Louis con un directo de derecha que le manda fuera del cuadrilátero. Lo nunca visto: Joe está noqueado, inconsciente... y Rocky empieza a llorar. No celebra, pena. No sonríe, llora. Y no encontrará consuelo hasta que visite a Louis en el vestuario y le pida perdón: «Lo siento, Joe», voz entrecortada y rostro anegado.

Ha ganado, sí; cada vez está más cerca del título mundial de los pesos pesados, también; pero acaba de tumbar a su ídolo de infancia. Mientras Marciano se ganaba el jornal como cavador de zanjas, jardinero y curtidor de cuero en plena Gran Depresión, su imaginación viajaba a un cuadrilátero con los guantes de Joe Louis protagonizando sus sueños. Años después, el boxeo le colgó una etiqueta exclusiva: campeón invicto de los pesos pesados. Rocky Marciano nunca, jamás, perdió un combate.

No se engañen. Las grandes rivalidades deportivas suelen estar marcadas por la polémica, el insulto y el deseo de venganza. Incluso el anhelo de victoria acaba siendo menor que el ansia de ver a tu rival derrotado. Frazier y Ali, Senna y Prost, Harding y Kerrigan. «Perseguiré a ese hijo de puta de Borg hasta el fin del mundo. Le esperaré y le acosaré en cualquier sitio. Cada vez que mire a su alrededor verá mi sombra», vociferaba Jimmy Connors. «Solo hay un número uno. Es un lugar solitario, pero tiene las mejores vistas, así que salgo a la pista para machacar a mis enemigos».

Sin embargo, hay excepciones marcadas por el respeto mutuo y la admiración recíproca. Rivales que se enfrentan, sí; adversarios que compiten, siempre; enemigos que se odian, nunca. Dos deportistas separados por una red y por sueños contrapuestos, pero unidos por un cantar de gesta recitado a medias, una epopeya que viajará de generación en generación entonada entre susurros de misticismo y murmullos de admiración. «Federer y Nadal personifican la decencia y el juego limpio en el deporte», resuelve *The Times*.

—Hemos pasado mucho tiempo juntos, quisiéramos o no.

—¿Y tú querías, Roger?

—Sí, ahora sí. Al principio era como: «Oh, otra vez Rafa Nadal. Ese chico es muy bueno». Pero han sido muchas horas en muchos vestuarios hasta el final de los torneos y no vas a evitarle. Hemos creado una buena amistad. Juego limpio fuera y dureza en la pista, como debe ser.

«Por supuesto. Siempre que nos hemos enfrentado ha sido en partidos importantes, casi siempre en finales. Pero eso no nos ha afectado fuera de la pista y por eso tenemos una relación fantástica», añade Rafael entre risas en un reportaje de *ATP Uncovered*.

Allá por 2004 Miami les unió y la eternidad les esperó. Nadal empezó temiendo: «Tenía la preocupación de que él pudiera ganar 6-1 y 6-1, o 6-1 y 6-2, pero tenía ganas de jugar este partido porque suponía competir ante el número uno del mundo. Salí a la pista con actitud positiva, no con una actitud de "oh, intentemos ganar un juego"». Y Federer terminó perdiendo: «He oído hablar mucho de él y he visto algunos partidos suyos. No creo que esto sea una gran sorpresa para todos». Intuía que era la primera... y la eterna penúltima derrota.

Nacía una rivalidad inmortal. Cuenta L. Jon Wertheim, de *Sports Illustrated*, que en su tercera visita a Basilea, en 2005, Nadal no pudo participar en el torneo por lesión y Federer se acercó a su habitación de hotel solo para saludarle y preocuparse por su estado. Por entonces, ambos chocaban los cinco cuando se veían e, incluso, el español sorprendía al suizo con un apelativo cariñoso.

—¿Qué tal, Rafa?

—¿Cómo estás, Rogelio?

Admiración profunda disfrazada de afecto divertido. «Roger es el jugador perfecto. Saque perfecto, volea perfecta, derecha superperfecta, revés perfecto, muy rápido en la pista... Todo es perfecto». Quién mejor para cerrar el récord más impresionante de Nadal...

—De tus tremendos logros, ¿cuál crees que es tu mejor hazaña?

—81 victorias consecutivas en tierra. Son muchas. Es ⸱

mi récord más impresionante. En muchos partidos pasas momentos difíciles y no en todos los torneos ni en todos los partidos estás jugando bien. Eso es evidente, pero sigues ganando partidos muy difíciles. Ochenta y uno son muchos días terminando con un triunfo.

—¿En algún momento estuviste a punto de perder durante esos ochenta y un partidos?

—Muchas veces. 0-3, 40-15 y doble break contra Coria en el quinto set de Roma. Contra Nieminen en Barcelona estuve 4-6 y 1-4. Contra Roger en Roma, 1-4 en el quinto o 4-5 y 15-40, es decir, dos puntos de partido...

El 11 de abril de 2005 Nadal derrotó a Gael Monfils en Montecarlo. El 19 de mayo de 2007, a Lleyton Hewitt en Hamburgo. Entre medias, ochenta y un triunfos consecutivos sobre arcilla. Trece títulos sin mácula. Trece campeones de Grand Slam arrodillados. Cinco victorias ante Roger Federer... hasta que perdió.

Volvamos al Am Rothenbaum de Hamburgo. Por primera vez Rafael ha decidido no llegar a Roland Garros con dos semanas de descanso: este año jugará en Alemania. Más de 13.000 espectadores quieren agradecérselo en persona en la gran final. Enfrente, el número uno del mundo. Enfrente, el artista que disfrazó la raqueta de pincel. Enfrente, «el vendedor de plumas», al traducir su apellido del alemán antiguo. Enfrente, Federer.

Antes del partido, ambos coinciden en la sala de fisioterapia. Es pequeña, sin escondites, pero Rafael y Roger no entienden de miradas esquivas y tensión previa al duelo. «Un rato después estaríamos haciendo todo lo posible por machacarnos en el encuentro más importante del año, pero éramos amigos además de rivales», afirma en *Rafa, mi historia* sobre la espera antes de la pelea por el título de Wimbledon 2008.

Rafael se ajusta todos sus vendajes. Roger apuesta

por un masaje que active los músculos para la batalla. Ambos charlan. «Tan tranquilos. Estaban los dos solos, a su bola», recuerda un testigo de la escena, imposible entre adversarios encarnizados de otras épocas o deportes. «Otros rivales deportivos pueden odiarse a muerte fuera de la pista; nosotros, no. Nos caemos bien», asienten ambos.

Nadal sabe que ha derrotado a Federer en las cinco ocasiones que han pisado tierra batida, pero el cansancio de Rafa, más mental que físico, y el talento de Roger tampoco entienden de precedentes. Manda el español, como tantas otras veces: set arriba y dos pelotas de rotura a favor. Reacciona el suizo, como nadie esperaba: repaso y rosco. 6-2, 2-6 y 0-6. Federer gana... y Nadal pierde.

«Si tenía que perder contra alguien, ése era Roger», reconoce Nadal. «Yo las derrotas las acepto bien. En toda mi carrera las he aceptado y las seguiré aceptando, porque la derrota es nuestra compañera de viaje. Cada semana solo gana uno, o sea que te vas más semanas perdiendo que ganando. Con lo cual tienes que acostumbrarte a vivir con nuestra compañera la derrota», asume Rafael.

Adiós... Perdón. ¡Hasta siempre! a la racha de ochenta y un victorias consecutivas en tierra batida. Quimérica, sin duda. Ilusoria, incluso. Irrepetible, a buen seguro. Digna, en definitiva, de un gesto que retrata a Rafael y sorprende a Roger.

—Beni, tienes que hacerme un favor, que a mí me da vergüenza.

—Claro, Rafa, ¿qué quieres?

—Tienes que pedirle la camiseta a Federer.

—¿Ahora?

—Sí, sí. ¿Pero usada, eh? Una de las de hoy.

«En el tenis nunca se cambian camisetas, nunca lo ha hecho nadie, pero Rafa es muy futbolero y colecciona cada camiseta que le ha regalado cualquier deportista. Tiene un montón de fútbol, de rugby, de cricket...», explican desde el equipo del manacorense. El encargo recae en Benito Pérez-Barbadillo, su jefe de prensa, que trabajó en la Asociación de Tenistas Profesionales (ATP) hasta finales de 2006 y tiene confianza con Federer.

—Roger, necesito que me firmes una camiseta para Rafa.

—¿Cómo?

El suizo pone cara de asombro.

—Que Rafa quiere una camiseta tuya de recuerdo. Y le da corte pedírtela...

—¡Claro! Encantado. Espera que saco una nueva.

—No, no. Rafa me ha insistido en que quiere una de partido, una de verdad.

—¿Así? ¿Sudada?

—Sí, una con la que hayas jugado este partido. Auténtica.

Federer acepta el encargo e idea la dedicatoria. Sencilla y admirativa: «81. Felicidades por un récord increíble e inalcanzable. Roger». El rotulador serigrafía nueve palabras esclarecedoras y el suizo solo pone una condición: se la llevará en persona a Rafael. Así sucede, y la sorpresa inicial de Nadal al verle entrar en el vestuario muta en sonrisas con las que cerrar un duelo antagónico.

Mientras toda la prensa internacional intenta explicar la primera victoria de Federer en tierra batida, mientras el mundo entero se pregunta qué significa el fin de la racha de Nadal una semana antes de Roland Garros, Roger y Rafael solo se ríen. Juntos, nunca revueltos. Tiempo habrá para pensar en París... el que necesitan para llegar a la sala de prensa, concretamente.

«¡Por fin! ¡Por fin he podido jugar bien contra Rafa! He conseguido jugar el tenis que hace falta para ganarle», se congratula Federer. «Creo, de verdad, que esta victoria sobre tierra batida puede ser un punto de inflexión. Va a ser interesante ver qué pasa con nosotros dos en Roland Garros», continúa. «Esto es un cambio. Absolutamente», sentencia.

«He perdido. Ahora me toca empezar otra racha...», avisa, a la contra, Nadal. ¿Cumplirá? Por primera vez en su carrera llega a la capital francesa con el contador de victorias en tierra a cero. Tras una derrota, algo nuevo. Mientras tanto, Rafael se ejercita con un monopatín para simular los deslizamientos de la tierra batida y paga cincuenta euros por dos horas de entrenamiento en un club privado a las afueras, ya que la insistente llovizna exige un techo que resguarde la pista.

Hasta que cesa la lluvia y empieza la tormenta. Sin compasión, caen Del Potro, Cipolla, Montañés y Hewitt. Sin camaradería, cae Moyá. «En la pista será un rival. Ahí no hay amigos. Todos te intentan quitar el dinero, los puntos y el partido. Un amigo no haría eso», bromea Charly antes del partido de cuartos de final, consciente de que hay mucha verdad en su chanza y de que la derrota es el destino que le espera: 6-4, 6-3 y 6-0, rosco incluido como muestra de respeto.

Sin piedad, cae Djokovic, aunque desde Hamburgo soñase con sus opciones: «Federer ha batido a Nadal en tierra. ¡Eso nos da confianza a todos! Ya sé lo que hay que hacer. La gente espera que llegue a la final, pero voy a dar lo mejor de mí mismo para pararle. Yo creo en mí. Creo que puedo ganarle». Horas después mira al marcador e intuye el destino que le aguarda, *ad eternum*, en la arcilla de París: 7-5, 6-4 y 6-2.

Nadal, sin ceder un solo set, está de nuevo en la gran final. Federer, cargado de moral, está de nuevo al otro lado de la red. ¿Y Rafael? Nada más terminar de entrenar, justo antes del duelo definitivo y rodeado de periodistas, Rafael confiesa un secreto: «Llevaba 81 partidos sin perder y me hacía ilusión tener la camiseta del hombre que me ganó. Y más si es de Federer...».

Pero ya no estamos en Hamburgo y sin paliativos, cae Federer. Desquiciado, tras 17 bolas de rotura a su disposición y una sola concretada: 6-3, 4-6, 6-3 y 6-4. Caen todos, gana uno. Siete partidos, cinco triunfos ante campeones, presentes o futuros, de Grand Slam: Juan Martín Del Potro, Lleyton Hewitt, Carlos Moyá, Novak Djokovic y Roger Federer. Tercera Copa de los Mosqueteros y tercer póquer consecutivo: Montecarlo, Barcelona, Roma y Roland Garros. «Ahora me toca empezar otra racha...». Dicho en Alemania y hecho en Francia.

Federer se aleja, por segunda vez, de dominar las cuatro fronteras del tenis al mismo tiempo: Melbourne, Londres y Nueva York sometidas, París rebelde. «He jugado tres muy buenos Roland Garros, pero vino Rafael y los ganó. Hoy mereció ganar. Puedo vivir con ello». De nada sirve ser el monarca indiscutible de la raqueta si Roland Garros no se somete a la voluntad regia. «No puede importarme menos cómo jugué los últimos diez meses o los últimos diez años. Yo quería ganar este partido y no he podido». Nadal, indómito.

Yo quería ganar este partido y no he podido... Como en Miami, hace tanto tiempo. Como en París, ahora y siempre. «Porque Federer no es Federer contra Nadal», radiografía Carlos Moyá. Y lo explica: «Cada jugador tiene su némesis, un jugador contra el que no le gusta jugar, y está muy claro que Rafa es el antiFederer. Si Rafa no existiera, pensarías que no existe el jugador prototipo que pueda ganar a Federer. Pero si pensases "¿cómo se le puede ganar?", harías un Rafa. Que corriese sin parar y sobre todo que tuviese esa derecha, que le duele muchísimo. Y Federer, a lo largo de los años, no ha encontrado, tácticamente, la manera de frenar ese golpe».

Esa derecha cruzada sobre el revés a una mano de su rival, «un gigante de seis metros», en la definición, certera, de Nico Almagro. «Seguro que lo ha intentado, que ha probado mil y una maneras, pero tú ves a Federer jugando contra Rafa y ves que no es Federer. Está incómodo, pega cañas, resta a Karlovic increíble y con Nadal le cuesta… Hay un tema de incomodidad total. Le molesta, y punto», remata Moyá.

Eso, dentro de la pista. ¿Y fuera de ella? «Más que amistad, hay mucho respeto. Rafa respeta la grandeza de Federer: cómo juega, su elegancia, lo grande que es. Y Federer respeta todas las veces que Rafa le ha ganado. Es una rivalidad muy grande, en la que han jugado muchísimas finales de Grand Slam [ocho], más que ninguna otra rivalidad en toda la historia, y la relación no es como Agassi y Sampras, Becker y Edberg, Borg y McEnroe, Connors… Esta ha sido la más sana y se han respetado siempre muchísimo tanto dentro como fuera. Ha habido mucha cordialidad. No lo llamaría amistad, porque no les he visto cenar o jugar a la Play juntos, pero sí que cada uno respeta la grandeza del otro».

Sirvan como ejemplo de ese respeto (y del carácter de Rafael) una respuesta y unas lágrimas. Dos años después de la escena de Hamburgo, cuando Nadal sufrió su única derrota en Roland Garros, en pleno desencanto, recibió una pregunta atinada…

—Si no queda ningún español, ¿te gustaría que ganase Federer?

—Sí, eso sería genial. Ha intentado ganar durante muchos años y ha tenido muy mala suerte perdiendo tres finales y una semifinal. Si alguien lo merece, es él.

Deseo sencillo. Sin adornos. Desde el corazón. Tanto que unos días después, cuando Roger se coronó por fin en París, lejos, en Manacor, Rafael lloró. Como Rocky Marciano medio siglo antes. Se lo contaría, tiempo después, a *L'Équipe*: «Lloré cuando Federer ganó Roland Garros. Me emocionó. Se merecía ganar un día ese torneo. Merecía ganar los cuatro Grand Slam».

Son Rafael y Roger. «Rafa» y «Rogelio». Rivales,

siempre; enemigos, nunca. «Si no hubiera salido yo, habría salido otro. El tenis nunca es aburrido. Si Federer hubiera conseguido 24 títulos del Grand Slam sería porque se lo merecería. Realmente, a mí las cosas me han ido muy bien durante estos últimos ocho años, pero a Federer le ha ido increíble. A mí me ha ido bien que haya estado Federer. Y a Federer, creo, le ha venido bien que estuviera yo», reconoce Nadal en *El País*.

«¿Si Rafa puede batir mi récord de Grand Slams? Sí, creo que sí. Es un tenista asombroso y lo ha hecho tan, tan bien durante estos años... Apareció como un chico que solo podía ganar en tierra batida y lo siguiente que supimos es que había ganado Wimbledon, US Open y Australia. Lo que ha conseguido es muy, muy impresionante. Es un gran campeón, grande para el tenis, y ha sido bonito compartir el número uno o el dos durante tanto tiempo», responde Federer en *El partido de las 12*, de la Cadena COPE.

«Siento una conexión especial con Rafa. Gracias a nuestro respeto mutuo, nuestra rivalidad siempre ha sido positiva y ojalá sirva de ejemplo para los jóvenes jugadores. Podemos estar orgullosos». Gracias, Roger.

«Roger y yo somos rivales, sí, pero no de los que se odian, sino de los que se respetan.» Amén, Rafael.

Lo ganó el 10 de junio de 2007, pero todo empezó mucho antes...

—Enhorabuena, Richard.

—Muchas gracias, papá.

—Has hecho un gran partido para estar en la final.

—Sí, pero te diré algo: él es un gran luchador.

Tarbes, Francia. 1999. Richard Gasquet acaba de firmar el pase a la última ronda de Les Petits As, el prestigioso torneo de categoría sub-14 donde se encuentran muchos de los nombres que más tarde coparán la élite del circuito profesional de la ATP. Entre la lista de ganadores de ediciones pasadas figuran campeones de Grand Slam como Juan Carlos Ferrero, Michael Chang o Richard Krajicek. En esta edición participan los jugadores nacidos entre 1985 y 1986.

Entonces el francés solo tiene 13 años, pero el criterio suficiente para hacer una reveladora valoración a su padre, después de bregar y triunfar en la pista dura cubierta del sur de su país ante un español de su misma edad por 6-7, 6-3 y 6-4. Ese «gran luchador» del que hablaba Gasquet era Rafael Nadal. «No lo conocía cuando jugamos en Tarbes. Ya luchaba mucho, ya corría a por todo y recuerdo que gané 6-4 en el tercer set. Le dije a mi padre eso después del partido. Y no mentí. Estaba en lo cierto. Con el tiempo se ha demostrado que ha sido uno de los jugadores más grandes en la historia de este deporte», recordará el de Béziers años más tarde, con el doble de edad a sus espaldas.

Por aquellas fechas el tenis francés andaba preocupado en la búsqueda de un talento de futuro que les garantizase soñar con un nuevo triunfo en Roland Garros, como en 1983 lo había logrado Yannick Noah, el único jugador local capaz de ganar en la Era Open. Richard Gasquet es solo un adolescente, pero ya recibe todos los elogios, halagos y reconocimiento de la prensa nacional e internacional. «¿El campeón que Francia está esperando?», se preguntó *Tennis Magazine* en la portada de su edición gala cuando Richard apenas tenía ¡nueve años!

Para muchos, el maravilloso revés a una mano que empuña con su derecha tiene mimbres suficientes para aspirar a ser el número uno del mundo. Mucho más después de eclipsar a sus compañeros de generación, conquistando el título en Les Petits As. Después de la derrota en Tarbes, el francés se convirtió en una pequeña obsesión para Rafael. En un referente que superar. En el objetivo a batir. Si Richard era el mejor jugador del mundo de su edad, él marcaba el listón a rebasar y no iba a descansar hasta conseguirlo.

Solo tres años más tarde de su primer encuentro, con los dieciséis recién cumplidos, Gasquet ya lucía un Challenger y dos títulos de categoría Futures en su palmarés. Además, en esa misma temporada ya se había estrenado en su primer Grand Slam en Roland Garros gracias a una invitación, era el número uno del mundo de categoría júnior y su ránking se encontraba cerca del Top 150 de la ATP.

Por su parte, a Rafael todas estas conquistas le quedaban aún un poco lejos. Los estudios habían retrasado su presencia de manera regular en ese tipo de torneos y en el verano de 2002, aunque ya había sumado sus dos primeros títulos profesionales en los Futures de Alicante y Vigo, todavía se encontraba en la posición 460 de la clasificación mundial, disputando otro campeonato de esa misma categoría en Irún.

Nadal había viajado al Club de Tenis Txingudy con muchos de sus compañeros de las Islas Baleares como Bartolomé Salvá o Marc Marco. Aún no tenía ránking suficiente para ser cabeza de serie, pero su cartel de futura promesa lo convertía en uno de los temas más recurrentes en las tertulias durante los tiempos de espera entre partidos y entrenamientos en el club. Reunidos en un corro, el juez árbitro del torneo testó la ambición de Rafael:

—Oye, Rafa. Gasquet está 180 y tú, 400.

—Ya, ya.

—Tú juegas Futures y él gana Challengers.

—Que sí, que sí, tranquilo. Ya llegaré.

La última frase sonó como amenaza, pero sirvió como advertencia. «En esa época no es que Nadal estuviera estancado, pero Gasquet se había distanciado mucho. Existía una rivalidad, aunque Rafa aseguraba que no le preocupaba. "Ya llegaré", nos decía, porque estaba convencido de que iba a llegar. Todos vimos que lo tenía muy claro, pero era muy humilde», confiesa Iván Esquerdo, otro de los jugadores que tomó parte del cuadro final en esa edición del torneo de Irún.

Apenas pasaron cuatro meses desde aquella conversación y Nadal ya había recortado considerablemente la distancia en la clasificación mundial con Gasquet. A comienzos de 2003, solo cincuenta posiciones les separaban y el español contaba con un ránking suficiente para poder entrar directo al cuadro final de los Challengers (Top 200). En febrero de ese año, Rafael y Richard volvieron a encontrarse en un mismo torneo en Belgrado, aunque esta vez el destino no los cruzó en el camino. Sí lo hizo, en cambio, con Tati Rascón, el único compatriota que también eligió los Balcanes como destino para competir durante esa semana.

Tanto Nadal como Rascón habían resuelto con victoria sus partidos de estreno. En la siguiente ronda, al primero le esperaba el israelí Amir Hadad; al segundo, Richard Gasquet. Acompañados por Jofre Porta, que ejercía como entrenador del balear en la capital de la antigua Yugoslavia, pasearon por sus calles para contemplar una ciudad destruida por la guerra y compartir su visión de la vida y el tenis.

Quince años separaban a los dos jugadores en sus partidas de nacimiento, algo de lo que nunca quedó constancia en la conversación. «Durante ese torneo hablamos bastante y tuvimos la oportunidad de compartir muchos momentos. Estábamos en el mismo hotel, jugábamos a la Play… En este tiempo pude ver su determinación y lo maduro que era para su edad: era muy profesional y lo tenía todo muy claro. Parecía que estabas hablando con un tío que llevaba muchos años en el circuito», desgrana Rascón.

«Fuimos a ver edificios que estaban completamente

destruidos. Durante esos ratos que estuvimos juntos, hablábamos mucho del conflicto bélico, pero también me interesaba saber cómo pensaba un jugador como él. Yo le preguntaba por todo: cómo se veía en el tenis, sus posibilidades, su coherencia, su determinación...», continúa. Además, durante el paseo hubo tiempo para hablar de una preocupación común: Richard Gasquet.

—Tati, ¿has visto con quién te toca en segunda ronda?

—Sí, claro, con Gasquet.

—Pues ya sabes... ¡A este le tienes que ganar!

«Rafa tenía el objetivo muy claro de poder pasar a Gasquet, que siempre estuvo por encima de él hasta los 16 años», apostilla Rascón. Después de resolver su acceso a cuartos de final sobre la moqueta cubierta balcánica, Nadal acudió a la pista donde su compañero de hotel trataría de seguir sus pasos.

— ¡Venga, Tati, que lo podemos sacar!— se desgañitaba desde un lateral.

En cambio, la primera manga se decantó en el tiebreak del lado del francés. «Rafa me animaba, me decía cómo poder jugarle, pero me estaba dando una paliza de cojones. Se mantuvo en la esquina todo el rato viendo mi partido, pero a medida que se dio cuenta de que iba perdiendo las opciones, se fue relajando», describe aún con una sonrisa Tati, que también cedería el segundo parcial. Y el partido.

En Belgrado, Nadal se quedó en cuartos de final y vio cómo Gasquet llegaba hasta las semifinales. Sin embargo, a las puertas de la edición de Roland Garros de ese mismo año, Rafael ya había logrado su objetivo: superar a Richard en el ránking. Y, lo más importante, estrenar su condición de Top 100, algo de lo que el francés aún no podía presumir.

Faltaba un último reto por cumplir: demostrar que también era mejor sobre la pista. Unos meses más tarde le llegó la oportunidad en el Challenger de San Juan de la Luz (Francia), pero una inoportuna lesión se encargó de estropearlo todo y, en mitad del partido, Rafael tuvo que abandonar cuando perdía 6-2. Estuvo cerca de ocurrir lo mismo un año más tarde, en Estoril 2004, en el primer envite en el ATP Tour entre el español y el francés, en el que Nadal se llevó la victoria a cambio de un precio demasiado alto: sus opciones de estrenarse por primera vez en Roland Garros. Una grave fractura por estrés en el pie izquierdo empañó aquel triunfo, obligándole a retirarse del torneo.

«Cada vez que juego contra él, me lesiono. La primera vez tuve que abandonar por lesión y la segunda me tuvieron que sacar de la pista porque no podía ni caminar», se lamentaba antes del tercer partido frente a frente en Montecarlo 2005.

—Esta vez puedes estar tranquilo —le recordó un periodista tras su segunda victoria ante Gasquet.

—Vamos a esperar dos horas a ver si tengo algún problema —contestó entre risas—. Pero sí, estoy feliz porque es el primer partido que juego contra Richard y no me lesiono.

Para su primera puesta en escena en Roland Garros esa misma temporada, el destino le había preparado una nueva encrucijada. Otra vez con su enemigo íntimo de infancia como protagonista y en territorio francés. Antes de su cuarto enfrentamiento cara a cara, esta vez en la tercera ronda de París, el público francés jaleó el nombre de Gasquet durante la victoria de Nadal contra Xavier Malisse. Dos días más tarde repetiría el resultado ante el joven héroe local.

«Es cierto que hoy me he quitado un peso de encima, lo confieso». Como había ocurrido en Estoril y Montecarlo, Rafa se había apuntado el triunfo. Y así sería cada vez que se encontrase con el galo al otro lado de la red. Ya fuese en Shanghái, Pekín, Nueva York o París. En un

Grand Slam, Masters 1000 o Masters Cup. En cualquier decorado o lugar del mundo, la balanza siempre se decantaba hacia el mismo lado.

«Nadal lucha por cada punto, corre a por todas las bolas. Es su fuerza. Además, pega muy fuerte a la pelota y no falla nunca. Por suerte, solo hay un Nadal en el circuito. De lo contrario, no sería fácil dedicarse a esto», definirá Richard, resignado, cuando acumule trece derrotas como profesional ante el español. «Es un jugador muy duro, un tenista monstruoso».

Las tornas se invirtieron y Rafael pasó a marcar el camino. «Por supuesto que estoy celoso de Nadal. Ganó Roland Garros tantas veces... Preferiría haber sido yo, pero no me ha ido tan mal. He sido siete del mundo y tengo bastante suerte de estar donde estoy en la vida. Soy bastante feliz, pero por supuesto habría preferido estar en el lugar de Nadal en términos tenísticos. Es lógico. Simplemente admiro lo que ha hecho».

La única victoria de Gasquet se remonta a aquella tarde de 1999 en Tarbes y para que no se esfume de su memoria recurre a Internet. «He visto este partido en YouTube unas cuantas veces. La gente habla de ese vídeo, cuando jugué contra Rafa. Puedo ver que le estoy ganando, aunque a veces ni me lo creo», bromea el francés. «Es bueno ganar un sub 14, pero es mejor ganar como profesional y no lo he hecho. Pero la vida es larga, ¿eh? Ya veremos...», continúa Gasquet para declarar: rivales, siempre.

«Es agradable, muy buena persona y uno de los jugadores a los que me siento más cercano porque somos de la misma generación. Tenemos buen *feeling*. Es genial ver a un jugador como Richard. Crecimos de una manera similar y jugamos cuando éramos niños», concluye Nadal para aclarar: enemigos, nunca. Ayer, Rafael y Richard; hoy, Roger y Rafael.

Capítulo IV

ROLAND GARROS 2008
¿Un campeón de Roland Garros sexagenario?

> «El superpoder más grande que un ser humano
> puede tener es la humildad.»
>
> NOVAK DJOKOVIC

—*E*ste es un resultado que va a dar la vuelta al mundo. ¿Piensas que vas a tener colapsado el teléfono esta noche con llamadas y felicitaciones?

—No creo, porque son las cuatro de la madrugada en España y todo el mundo está durmiendo. Mañana los periódicos no tendrán la noticia. Pero, sí, quizás esté en Internet y en el teletexto...

Y en las radios. Y en las televisiones. Y en el boca a boca. Y en el corazón de todos sus compatriotas. Es 28 de marzo de 2004 y en Miami, Rafa Nadal, diecisiete años y 299 días, acaba de derrotar por primera vez, nunca la última, a Roger Federer, número uno del mundo. Rafael cree que su nombre, que ya circula por las redacciones de todo el planeta, apenas saldrá en el teletexto.

Es 3 de diciembre de 2004 y en Sevilla Rafa Nadal, dieciocho años y 185 días, acaba de derrotar a Andy Roddick, número dos del mundo, y sitúa a España a una sola victoria de la Copa Davis. «Nace una estrella», titula *El País*. «No es ningún secreto que tiene un futuro muy, muy brillante. De vez en cuando surge gente hecha para jugar grandes partidos y Rafa es un jugador de grandes partidos», confirma Roddick. «Bueno, a ver si nos vemos pronto. Venga, hasta luego», acierta a balbucear Rafael con la Ensaladera ya conquistada.

Así es él. Quizás porque muy pocos días al año su vida le regala sus tres sencillas exigencias: «Me vale con levantarme, ver el mar y dormir en mi cama». Quizás porque, a cambio, no se cansa de cumplir su mantra vital: «Pegamento en los pies. Yo, siempre, con los pies en el suelo». Y de paso, su lema deportivo: «En este deporte no puedes pararte. Tienes que mejorar siempre y estar preparado para trabajar con humildad e ilusión cada día. Cada día». Pies en el suelo. Humildad. Ilusión. Cada día.

«Tienes que comprender que la diferencia que hay entre la capacidad de un cabeza de serie y la de otro es insignificante, prácticamente nula, y que lo que decide los partidos que disputan es un puñado de puntos», opina Nadal en *Rafa, mi historia*. «Cuando digo, al igual que Toni, que gran parte de la razón de mi éxito se debe a mi humildad, no estamos vendiendo la imagen de un timorato, ni haciendo relaciones públicas en plan listillos, ni dando a entender que soy un tipo muy equilibrado y moralmente superior. Comprender la importancia de la humildad es comprender la importancia de conseguir un estado de máxima concentración en las etapas cruciales de un partido, saber que no vas a pisar la pista y ganar solo con el talento que Dios te ha dado», se justifica Rafael.

Sí, a menudo Rafa Nadal recibe críticas por respetar más de la cuenta a sus rivales. Francis Roig, siempre a su lado, lo explica con una conversación esclarecedora:

—Rafa, juegas contra el 80 del mundo. Eres favorito.

—¿Favorito? Si juego bien, creo que tendré que ganar, sí. Pero no me considero favorito...

—¿Me estás tomando el pelo?

—No. Es joven y tengo posibilidades de ganar, pero él también.

«Otro te diría: "No pierdo ni de coña". O al menos: "Lo normal es que gane". Rafa, no. En el deporte hay sorpresas, pero en tierra batida tiene que pasar algo gordo para que pierda, así que te quedas un poco alucinado con la prudencia que tiene», continúa Roig, con ejemplo incluido: «Si yo soy tu entrenador y tú, número uno del mundo, te diré: "Oye mira, si vas 6-2 y 4-1, en el primer punto del siguiente juego presta atención". Pero tú, cuando estés en la pista, ni te acordarás de eso. Pensarás que el partido ya está muerto. En cambio a Rafa no le hace falta que le diga que dé importancia a ese punto. Siempre ve la posibilidad de que se pueda complicar el partido».

Carlos Moyá remata la explicación: «Rafa es bastante humilde y siempre respeta mucho al rival. Siempre piensa que su adversario juega muy bien y puede perder. Si lo ves desde la primera ronda, ya sale al cien por cien. Djokovic y Federer dosifican, y si tienen que perder un set, pues lo pierden. Rafa, si lo pierde es porque no ha jugado bien y el otro ha jugado muy bien, pero sale a tope desde el principio».

Y a tope salió desde el primer hasta el último partido en aquel Roland Garros de 2008. Intratable. Solo la lluvia, por momentos, pudo frenar su juego. Bellucci, Devilder, Nieminen, Verdasco, Almagro, Djokovic y Federer. Siete rivales, demolidos: veintiún sets disputados y doce de ellos terminaron 6-0 o 6-1 para Nadal. Un récord, reeditado: por primera vez desde que lo hiciese Björn Borg en 1980, el campeón en París no ha cedido un solo parcial. Y dos momentos, ilustrativos.

Cuartos de final y el marcador refleja un 6-1, 4-1 y deuce. Buen saque de Almagro que Nadal convierte en un resto directo que besa la línea lateral. «Oh, là, là», se escucha al instante en la narración de *Eurosport Inter-*

nacional. Nico elige una mueca a medio camino entre incredulidad y resignación, mira a su palco y capitula: «Va a ganar Roland Garros cuarenta años seguidos. Va a tener 65 años y va a seguir ganando Roland Garros. ¡Con 65!». Hipérbole... ¿O premonición?

Cinco días después, la gran final aguarda, y Toni y Rafael se reúnen, como siempre, en el vestuario:

—Hoy, al nivel que estás, creo que podrías jugar a Federer de tú a tú.

Por primera vez en la carrera de ambos genios, Toni ve superior tenísticamente a su pupilo.

—Pero sigamos con la táctica de siempre: atácale a su revés.

Efectivamente, aquella tarde Nadal fue superior. Muy superior. 6-1, 6-3 y 6-0, aún hoy, uno de los dos roscos que ha encajado Roger en sus 327 partidos de Grand Slam (el otro fue en su debut en Roland Garros con diecisiete años ante Patrick Rafter). En apenas 108 minutos. Con ocho breaks y pelotas de rotura en todos los saques del suizo, menos en uno. Nunca un número uno entregó una final en un grande con tan pocos juegos en el haber. Jamás se vio a Rafael, y a su equipo, celebrar tamaño triunfo con tanta moderación.

«¡Vaya paliza!», se escucha en la grada. «Ha dominado a todos en estas dos semanas y hoy estuvo supremo», simplifica Federer. Así que la prensa internacional pregunta a Nadal...

—¿De verdad no te sientes el mejor jugador del mundo ahora mismo? ¿No te sientes el número uno?

Y responde Rafael:

—No, no. Me siento el número dos porque soy el número dos. Y estoy más cerca del tres que del uno.

«En todo el circuito, más allá de los tenistas españoles, es un jugador que despierta halagos. Se le idolatra, pero no solo por lo buen jugador que es, sino porque es una persona normal y corriente. Y los jugadores tan buenos, e incluso los no tan buenos como él, esa sencillez y esa humildad no la tienen. Rafa, sin duda, la tiene», radiografía Pablo Andújar, uno de esos admiradores que se visten de rivales cuando la red les cruza. «Es que es así. No se siente superior a nadie. Es supernormal», concuerda Francis Roig.

Tan normal, que esquiva los aviones privados, especialmente si los paga el erario público, y no rehuye las aerolíneas más modestas: «Sigue volando con compañías de bajo coste sin ningún problema hoy en día. No es una cuestión de una compañía u otra o de ir mejor o peor. "¿Cuál es el primer vuelo que sale para Palma? ¿Y para Barcelona?". Y se va en el primer avión con toda su familia», cuentan desde su equipo.

De hecho, ningún pasajero habrá olvidado lo que sucedió en aquel vuelo vespertino de la compañía EasyJet que unió Niza y Barcelona el 27 de abril de 2008, apenas un mes antes de que Rafa Nadal mordiese su cuarta Copa de los Mosqueteros. El manacorense se había coronado en Montecarlo en ambas disciplinas, individual y dobles, y quería volver pronto a casa para tener algo de tiempo libre antes de disputar el Conde de Godó.

Sin perder tiempo se dirigió desde el Monte-Carlo Country Club hasta el aeropuerto de la ciudad francesa y cumplió con la rutina de un viajero cualquiera. Facturó su equipaje, se dirigió a la sala de embarque e hizo cola para comprarse una bebida y un bocadillo… El problema es que el resto de clientes aún no se han recuperado de su asombro. Y ya en el avión quiso colocar sus pertenencias en el portaequipajes… El problema es que la gran copa plateada que había ganado horas antes en la arcilla monegasca no entraba. Lo intentó y lo intentó, pero aún se escucha la ovación y las risas del resto de pasajeros acompañadas por la sonrisa avergonzada de Rafael.

Precisamente en un avión, camino de Shanghái y

junto al asiento 29C que ocupaba el manacorense, tuvo lugar una conversación con otro pasajero que recoge *Sports Illustrated*.

—Hombre, Rafa. ¿Qué haces por aquí?

—Pues nada, escuchando música.

—¿Y cómo es que no viajas en primera clase?

—Porque suena igual aquí que allí.

Excepcional, al menos entre los deportistas de primer nivel, es también su facilidad para firmar autógrafos: «Es cierto que no es posible hacer feliz a todo el mundo, pero lo que está en mi mano es hacer feliz a cuantos más pueda, especialmente si son niños. Para ellos, un autógrafo o una fotografía significan muchísimo. Simplemente es mi forma de dar las gracias por el cariño y el apoyo que me dan. Me ayudan mucho cuando lo paso mal». Firma o posa, sea cual sea el momento. Wimbledon 2008 le ofrece fama eterna y *The Washington Post* narra normalidad diaria: «Nadal rompió una vez más la tradición y salió a la entrada del All England Tennis Club, con el trofeo de Wimbledon en sus brazos, para firmar todos los autógrafos que pudo, disparando aullidos dignos de los Beatles». Ninguna foto, libro, bandera o incluso invitación de boda sin rúbrica, sea cual sea la marabunta. «Él sufre, porque muchas veces hay niños pequeños y hay avalanchas. Pero siempre va a firmar, cuando gana y cuando pierde», cuenta Francis Roig.

Eso sí, cuando la solicitud llega en lugares menos concurridos, aprovecha para enseñar el niño que lleva dentro. Por ejemplo, con los trabajadores del Mutua Madrid Open durante los días previos al torneo, como el juez de línea José Carlos Naranjo. «Al finalizar el entrenamiento le esperé en la puerta, pero nunca imaginaba lo que iba a suceder a continuación...»:

—Rafa, ¿te importaría hacerte una foto conmigo?

—Paso.

—Pero…

José Carlos, atónito y decepcionado, rebusca una explicación, hasta que aparece Toni Nadal y deshace la tensión.

—¿Otro que ha picado con la broma?

—Sí, nunca falla.

«En cuanto nos reímos todos, me hice la foto de rigor y le di todos los ánimos para el torneo. Me quedé pensando en que realmente las superestrellas no son tan inaccesibles como las pintan…». José Carlos guarda como un tesoro una foto con Nadal en la que sale Rafael, sonrisa radiante y mirada canalla.

«Sí, sí, la de los autógrafos suele hacerla. Me la ha hecho hasta a mí». Marc López, amigo, *sparring* y pareja de dobles del manacorense, también sufre a menudo su irreverencia. «Como a mis amigos les da vergüenza, me toca acercarme a Rafa y preguntarle si se puede sacar una foto con ellos y firmarles un autógrafo»:

—No. Ahora imposible, tío, que estoy ocupado.

«Yo me río, porque ya le conozco, pero mis amigos se *atrapan* y se ponen muy rojos».

—Ah, vale, vale. Perdona.

—Que no, hombre, que es broma.

«Rafa se descojona y claro que les firma. La gente le ve como un crack, pero no saben que detrás está un tío bromista y que le gusta vacilar cariñosamente». Aunque a veces el sorprendido es Nadal, como en una edición de los Premios Laureus. «Valentino Rossi le llamó: "¡Rafa, Rafa! ¿Puedo hacerme una foto?". Y el tío se quedó alucinado», recuerda Francis Roig. Una escena que se repitió con distinto interlocutor durante los Juegos Olímpicos de Pekín:

—Solo quería conocerte. Ni siquiera quiero una foto ni nada.

Rafael alucina.

—Te sigo siempre que puedo y me encanta verte jugar al tenis.

Rafael no es capaz de responder.

—¡Buena suerte!

Michael Phelps, el deportista más laureado de la historia de los Juegos, acababa de conocer a Rafa Nadal. En los ocho días siguientes ganará ocho oros olímpicos. LeBron James fue el otro nombre ilustre en una lista interminable de peticiones en la Villa Olímpica: «Cada vez que íbamos a comer tardaba quince minutos en sentarse y ya se le había quedado fría. Fotos, fotos, fotos. Y si no, autógrafos. Y no dijo que no a nadie. Nunca le vi rechazar una sola foto, aunque estuviese ocupado o con la comida enfriándose», rememora otro deportista de la delegación española.

Vuelos de bajo coste, autógrafos anónimos o célebres y algún supermercado, aunque esté en la capital que le admira como el gran monarca de su arcilla mientras le ve pasear como un ciudadano cualquiera. «Imagínate un Cristiano Ronaldo, un Leo Messi o un Tiger Woods yendo solos por París. No te lo imaginas. Y él va solo a la tienda de al lado a comprar lo que sea. Es una persona totalmente normal», explica Carlos Moyá.

Precisamente en París se da una ligera diferencia entre los hoteles, esos hogares postizos, que custodian a Roger Federer y a Rafa Nadal durante la disputa de Roland Garros. El helvético elige el Hôtel de Crillon, a los pies de los Campos Elíseos, a la vera de la Plaza de la Concordia y reconocido como uno de los palacios más antiguos y lujosos del mundo. Cinco estrellas oficiales, seis oficiosas y un «precio mínimo», según su página web, de 1.220 euros por noche en cada una de sus 44 suites. El máximo… un secreto.

El español se queda con el Meliá Royal Alma, ubicado en el número 35 de la Rue Jean Goujon, una calle por la que apenas pasan dos coches en paralelo. Más discreto, carente de lujos. Cuatro estrellas y 400 euros por noche en la única habitación Grand Suite con la que cuenta. Rafael, en cambio, se aloja en una de categoría inferior que ronda los doscientos euros. «Siempre va ahí, en cada Roland Garros desde 2005. Dice que le da suerte y como ya lo conoce, se siente muy cómodo», explican desde su equipo.

En ese hotel parisino tuvo lugar una anécdota, puntual pero ilustrativa, que cuenta Yolanda Medel, aficionada fiel y habitual en sus torneos: «Para mí Rafa es una persona superhumilde. Yo alucino cada vez que me lo encuentro. Voy a Roland Garros cada año y suelo quedarme en el Meliá Royal Alma. Es muy pequeñito y te estás chocando con ellos constantemente. "¡Hombre, españoles!", nos dijo la primera vez que nos vio. Y desde entonces siempre nos saluda y charlamos un rato. Es muy, muy cercano».

«Un día estábamos en el desayuno y el comedor es muy chiquitito, enano del todo. Es de autoservicio y Rafa llegó y cogió una botella de agua. De repente, se le escurrió de las manos y se desparramó todo el agua por el suelo. Él, ni corto ni perezoso, muerto de vergüenza, cogió unas cuantas servilletas de papel y se puso de rodillas a secar el agua, pero los camareros enseguida se acercaron corriendo»:

—Disculpe, nosotros nos encargamos.

—No, no. Soy un desastre. Yo lo he tirado y yo lo limpio. Seré inútil…

—Por favor, por favor, déjelo. Es cosa nuestra.

—No, lo siento. La culpa es mía. Soy un patoso. Yo lo he tirado y yo lo recojo.

«Estuvo un buen rato limpiando de rodillas hasta que los camareros le convencieron. Éramos unas veinte personas en el comedor y todos boquiabiertos. Al final consiguieron que dejara de recoger el agua y siguió desayunando con normalidad. Podría ir de divo, pero entonces no sería él», concluye Yolanda. «A veces mete liadas como todo el mundo y reacciona como una persona normal, lo que es. Cada día piensa en los demás, intenta ayudarte en todo lo que puede... "Si fuese tú, no sería tan buen tío". Siempre se lo digo», añade Marc López.

Toni Nadal, responsable junto a sus padres de la educación de Rafael, lo explica con algunas preguntas retóricas: «Él sabe que para nada es un tipo especial, y que Roland Garros seguirá aquí cuando él se vaya. Al final uno triunfa en el tenis, en el fútbol o en un tema concreto de la vida y se cree que es un fenómeno en todo lo demás. ¿Y lo son? No. ¿Quién se puede sentir especial en esta vida? El que es especialmente tonto. Mi sobrino hace una cosa muy bien, que es jugar al tenis, pero ¿cuántas actividades hay en el mundo? ¿Mil? Pues mi sobrino hace una bien».

Desde que Rafael era un niño, Toni cinceló en su mente una ley inviolable: «Solo eres un chico que haces algo tan simple como pasar una pelota por encima de una red. No lo olvides nunca». Y desde entonces, su sobrino recoge sus palabras y las convierte en hechos, porque «hablar de valores es mucho más fácil que ejemplificarlos, que actuar y llevarlos a la realidad». Por eso, mientras otros coleccionan errores y horrores, nunca se vio a Nadal destrozar una raqueta o insultar a un juez de silla. «Los genios son así», se excusa a los primeros. No todos...

«Soy bastante consciente de todo. Y de lo complicado que es triunfar. Lo importante es mantener la humildad no como tenista, sino como persona. Esto se acaba y cuando se acaba eres igual que los demás». Cuando pronunció estas palabras Rafael aún no había ganado ningún Roland Garros. Hoy, arrasando pero siempre respetando a sus rivales, ejemplificando esa humildad, Nadal ha conquistado su cuarta Copa de los Mosqueteros.

Por cierto, junto al preciado trofeo, Nadal lleva la

acreditación que le da acceso al torneo. ¿Saben qué foto luce en ella? La misma de 2004, cuando se paseaba en muletas por el recinto sin que nadie lo reconociese. Sin fama ni autógrafos. Incógnito. Humilde. La foto de Rafael.

Lo ganó el 8 de junio de 2008, pero todo empezó mucho antes...

El enjambre de cabezas evidenciaba que algo importante acababa de ocurrir. Entre aficionados y periodistas que se acercaban a contemplar la escena, apenas se dejaba entrever qué ocurría en el centro del corro. En medio de tantos adultos curiosos, un niño de 14 años. Tímido, pero feliz. Acababa de levantar el Master Internacional del Nike Junior Tour en Sun City (Sudáfrica). De repente el primer reportero arrancó la rueda de preguntas improvisada:

—Bueno, Rafa, acabas de ganar el torneo. ¿Qué tal te encuentras?

—Estoy muy contento —respondió aún ajeno al mundo de la prensa extranjera.

—¿Ya sabes qué harás mañana cuando vuelvas a casa?

—¿Mañana? Claro, ir al colegio.

El periodista esbozó una sonrisa a la vez que fruncía el ceño. Como muchos de los presentes, no alcanzaba a entender del todo la respuesta de su interlocutor. ¿Al colegio? ¿Al día siguiente? ¿Cómo era posible que el campeón de un torneo de tal magnitud tuviese presente los estudios en ese momento? No era lo normal en el resto de niños de aquella edad que aspiraban a imitar a Agassi, el número uno de la ATP por entonces. Sí para Rafael, el emisor de estas inocentes palabras.

Su consigna estaba grabada a fuego. En casa de los Nadal Parera era condición imprescindible compaginar el talento dentro y fuera de la pista. Brillar con la raqueta, pero también sin ella en el aula. Inculcar la disciplina, el esfuerzo y el trabajo en todos los ámbitos de la vida de Rafael. Detrás de los triunfos prematuros había un pacto tácito con Ana María, su madre: los estudios serían tan importantes como cada trofeo de tenis, al menos, hasta completar la Enseñanza Secundaria Obligatoria (ESO).

—¡Mamá, es un torneo importante!

—Lo sé, pero tendrás más oportunidades para jugar en esas competiciones.

—Pero...

—Si abandonas los estudios, Rafael, no tendrás ninguna otra posibilidad de aprobar los exámenes.

El acuerdo estipulaba estirar su implicación escolar como mínimo hasta los 16 años, tiempo suficiente para ver escapar la estela de algunos de sus compañeros de generación —como Richard Gasquet—, que a esa edad ya habían disfrutado de la posibilidad de debutar en Roland Garros. En mayo de 2002, Nadal tuvo que rehusar incluso la opción de acudir a la edición júnior del *major* francés. Un sacrificio obligado para coronar la primera gran cima que asaltaría en su carrera: la ESO.

A partir de entonces, Nadal compitió con normalidad, como el resto de jugadores que soñaban con ser profesionales y frecuentaban torneos de categoría Futures. Alicante, Vigo, Barcelona y Madrid le vieron encadenar una racha de cuatro títulos que le permitió recuperar el territorio cedido a los estudios durante el primer semestre de esa temporada, en la que apenas pudo jugar. A la par, no renunció a seguir vinculado al mundo académico y probó con el Bachillerato.

Mientras tanto, la buena dinámica del curso tenístico lo había ubicado en una situación de privilegio. El calendario fijaba dos torneos en las Islas Canarias antes de acabar el año, que escondían el botín de puntos necesarios para terminar lo más cerca posible de las 200 mejores raquetas del ránking ATP. Sin tiempo que perder, Rafael preparó su equipaje para viajar a Gran Canaria durante los siguientes catorce días. Los libros y apuntes también volaron en aquella maleta.

—Colombo, quiero acabar el año Top 200.

—Bien, Rafa, pero para eso hay que ganar estos dos Futures en Gran Canaria.

—Estoy mentalizado. No voy a jugar dos torneos, voy a ganar diez partidos.

En el avión rumbo al aeropuerto de Gando, Nadal y su entrenador ocasional, Toni Colom, analizaron a cada uno de sus posibles rivales durante las dos semanas siguientes, las opciones de lograr el objetivo, los puntos que hacían falta para ascender hasta la meta, e, incluso, repasaron algunos aspectos tácticos. Pero tras el aterrizaje, aún en la cinta de equipajes, ocurrió un problema imprevisto:

—¿Dónde está la maleta?

—Colombo, no aparece. Yo creo que la han perdido.

—Ostras, Rafa... ¡los libros!

Por más que buscaron, jamás encontraron aquella maleta. «Mira, eso... Os voy a decir la verdad». Pausa eterna. «Me la perdieron. Es verdad. Yo embarqué la maleta con los libros y me la perdieron. Es cierto que la voluntad no era la de seguir estudiando, porque ya había terminado 4º de la ESO y estaba el 200 del mundo. Empecé Bachillerato, pero ya viajaba por toda Europa para intentar meterme en el Top 100. De hecho, lo conseguí y ya era un profesional en toda regla del tenis. La media me salía una semana en casa y tres fuera. Imagínate...», confesaba el propio Nadal en *El partido de las 12* de la Cadena COPE casi una década más tarde.

«La semana que estaba en casa iba al Bachillerato nocturno, de cinco a diez de la noche. Me entrenaba por la mañana y no tenía ninguna vida. Y llegó un momento en el que... perdí los libros. Llegué a casa y se lo dije a mi madre: "He perdido los libros, pero es que no tengo vida, mamá". Pero yo juro, aquí delante de todos vosotros, que la maleta me la perdieron. No recuerdo qué compañía...», continúa Rafael. «Lo que no sé es si hice la reclamación...», sonríe Nadal, centrado ya por completo en el tenis.

Confianza, acumulada tras los grandes resultados cosechados durante el año, y ambición ilimitada desembarcaron en Gran Canaria en la muñeca de Nadal. En el primero de los Futures en La Calzada, al norte de la isla, la imagen dejó perplejos a sus compañeros de vestuario. A pesar de su tierna edad, ya todos le conocían de sobra y sabían que las palabras que pronunciaba antes de que arrancaran los torneos, tan rotundas y seguras que sonaban a amenaza, se cumplirían.

Entre los testigos se encontraba uno de los favoritos locales, David Marrero: «Recuerdo que estaba mirando el cuadro precisamente en el mismo momento en el que salió, y Rafa estaba delante de mí. Con su dedo índice empezó a seguir su parte del cuadro, como haciendo sus cálculos, y dijo: "Jugando mal, hago final". Esto puede no sonar bien, pero da una idea de lo superior que se veía. De la confianza que tenía en sí mismo. Con solo 16 años estaba jugando con gente que era muy buena en ese tipo de torneos... ¿Y qué ocurrió? Fue campeón».

La historia la desvela el grancanario, la ejecuta el mallorquín. Nadal no solo cumplió su predicción llegando a la final tras superar a Ferrán Ventura, Timo Nieminen, Germán Puentes y Óscar Hernández, sino que en la última ronda derrotó a Marc Fornell para hacerse con los dieciocho puntos en juego. El objetivo estaba un poco más cerca. Sin tiempo para celebraciones, aún faltaba por recorrer la segunda parte del camino. Colom y Rafael se trasladaron el mismo día de la final hasta el sur de la isla para tratar de poner el broche a un año perfecto en Maspalomas.

Al día siguiente, por primera vez desde su estancia en Canarias, no tendría partido. Sorprendentemente para su compañero de viaje y entrenador, Rafael no saltó de la cama como en los días anteriores. A esas alturas de la competición, los minutos en pista podían pesar en las piernas de su pupilo. Era justificable. Pero de camino al desayuno en el hotel surgió una confesión inesperada:

—Colombo, hoy estoy cansadísimo.

—¿Y eso, Rafa? ¿Qué pasa?

—Siento el cuerpo abatido, cansado…

—¿Estás bien?

—Si hoy tuviese que jugar, sería complicado que rindiese al cien por cien.

La explicación del adolescente petrificó al adulto:

—Pero ¿sabes qué pasa? Todo esto lo controlo. Si sé que tengo partido, la noche anterior me mentalizo de que al día siguiente hay que jugar y me levanto con un salto de la cama con la energía preparada para estar a tope.

«Aquel comentario me hizo saber, una vez más, la fortaleza de Rafa. Estuvimos allí once días, y él jugó diez. Yo creía que, por el cambio de temperatura del norte al sur de la isla o por cualquier otra razón, aquella mañana le había costado más despertarse. Pero cuando me dijo esto, teniendo 16 años, me quedé de piedra», rememora Colom.

El martes, Nadal regresó a la competición, pero antes repitió una escena que sus rivales ya habían contemplado antes. «En la segunda semana se dio la misma situación, aunque esta vez fue menos optimista. De nuevo, cuando se publicó el cuadro, lo analizó y dijo: "Jugando mal, hago semifinal. Y si tengo suerte, final". ¿Qué ocurrió? También terminó campeón».

El cansancio revelado por Rafa unas horas antes a su entrenador apareció en su primer partido del último torneo del año. Roberto Menéndez, el primer peldaño en

Maspalomas, le exigió más que los cinco rivales que había encontrado la semana anterior. «Fue el primer partido en que le vi sufrir. En la primera ronda, para ganar a Menéndez tuvo que irse a tres mangas. Ganó y, a partir de ahí, ya no cedió un solo set más», apunta Marrero.

«Era un espectáculo la habilidad que demostraba con las piernas, siendo tan joven», coinciden todos los que lo vieron avanzar hacia su sexto trofeo Futures del año. Nadal superó a Andreas Kauntz, Stephane Robert y a Tomas Tenconi, en la semifinal que había vaticinado como cota más alta, si no hubiera suerte. Ya en la última ronda se encontró con un jugador con el que también lo haría después en su etapa profesional, Florian Mayer. Pero el alemán tampoco frenó al español, y Rafael y «su» Colombo se estrecharon la mano. El saber no había ocupado lugar.

Dos años más tarde, curtido en el aula y en la pista, aún no había debutado en Roland Garros. En una conversación privada con Carlos Costa, que recoge en *Rafa, mi historia*, trazó una nueva confesión: «No me tocaba todavía, Carlos. Aún no era mi momento. Cuando pueda jugar por primera vez este torneo, será para ganarlo. El año que viene será mío». Y de nuevo, como había sucedido al revisar los cuadros de juego en Gran Canaria, Nadal cumplió su predicción.

Una y otra vez, hasta convertir París en su reino privado. Hasta coleccionar, el 8 de junio de 2008, su cuarta Copa de los Mosqueteros. Tantos trofeos seguidos como lo había hecho Björn Borg entre 1978 y 1981. Los estudios habían retrasado la explosión del campeón. Le impidieron pisar la Philippe Chatrier antes de tiempo y soñar con ganar Roland Garros cuando aún era júnior. Pero el corazón del guerrero intuía que aquella tierra que se resistía en el presente jamás lo haría en el futuro. Y así fue.

Capítulo V

WIMBLEDON 2008
El día que Hércules destronó a Zeus

«A las 9.16 de la noche el rey Federer ha sido destronado.
Rafael Nadal ha ganado Wimbledon.»

RETRANSMISIÓN DE ESPN

«*C*uando tenía catorce años, mis amigos y yo compartíamos la fantasía de que un día jugaría aquí y ganaría». Pensar. Imaginar. Soñar. Son las dos de la madrugada en Londres y Rafael lleva hora y cuarto insomne pensando en el reto que afrontará al día siguiente. El reloj ya marca las tres y se dedica a imaginar cómo será el duelo que le espera. Llegadas las cuatro, Morfeo por fin le acuna mientras sueña, por última vez, con su gran fantasía de infancia. Esa que hace justo un año Nadal estuvo a punto de cumplir…

—Ganarás el próximo año, Rafa.

2007. 6-7, 6-4, 6-7, 6-2 y 2-6. Hundido, desamparado, Nadal apenas escucha el presagio disfrazado de consuelo de Björn Borg. Pentacampeón de Wimbledon, el sueco acaba de ver a Roger Federer igualar su palmarés con su quinto título en la Catedral. Sin embargo, solo tiene elogios para el perdedor de esa final: «En aquel momento, en 2007, le dije a todo el mundo "el año que viene, ese chico ganará Wimbledon". Y lo hizo».

Profecía de Borg… y temor de Roger. «Rafa es un jugador fantástico y va a estar por aquí mucho tiempo, así que estoy feliz con todo lo que he conseguido antes de que él se lo lleve todo». De hecho, *Le Temps*, periódico de referencia en Suiza, su patria, coincide: «Federer ya no está solo y no volverá a estar en paz. Allá donde vaya, le esperará Nadal».

Rafael, en cambio, no entiende de presagios. No ve más allá de sus lágrimas. No escucha a Valle-Inclán, aquel que dejó escrito «lo mismo da triunfar que hacer gloriosa la derrota». Rafael solo llora. «Lloré sin cesar durante media hora en el vestuario. Lágrimas de decepción y autorreproche. Federer me había vencido, pero también yo, en no menor medida, me había derrotado a mí mismo; me había defraudado y no lo soportaba», reconoce en su autobiografía.

Por primera vez Toni Nadal no tiene una sola crítica para su pupilo. «Me limité a decirle: "Oye, se ha perdido, pero puedes estar contento. Has hecho un buen partido. Habrá más Wimbledons y más finales, tranquilo"». El sueño que comparten desde que Rafa supo empuñar una raqueta les ha esquivado, pero el destino, con Björn Borg como portavoz, les ha escogido. «He tenido buenas opciones de ganar contra uno de los mejores jugadores de la historia en esta superficie. He estado al mismo nivel. Me voy decepcionado, pero si sigo mejorando seguro que tendré más opciones de ganar aquí», asume, por fin, Nadal.

«Bueno, ¡ahora a ganar Wimbledon!». Allá por 2005 la Philippe Chatrier asistió, asombrada, al propósito de su nuevo dueño. Rafael, flamante campeón de Roland Garros, emite un deseo, pero su equipo solo ve una utopía. ¿En la Catedral? ¿Sobre hierba? «La tierra es historia. Ahora hay que pensar en la hierba. Quiero intentarlo de verdad». Tres años después, Nadal está a punto de pelear por tercera vez para convertir esa quimera en realidad. En sueño cumplido.

Rafa viene de ganar Queen's, el primer título español sobre hierba en los últimos 36 años, desde que Andrés Gimeno triunfase en Eastbourne. Sin embargo, al otro lado de la red espera, de nuevo, un artista indómito. Espera, de nuevo, Roger, capaz de coleccionar 66 triunfos consecutivos sobre césped, pentacampeón en Halle y Wimbledon. «El año pasado estuvo muy cerca. Solo un punto más y probablemente yo tendría el trofeo en mi casa», avisa Nadal. «Los dos merecemos el título y cada uno tiene el destino del otro en su mano», responde Federer.

El escenario, inmaculado: «La pista más bonita y emblemática del mundo», cataloga Rafael. Los intérpretes, admirados: «Dos gigantes, el rey invencible contra el aspirante a rey», define Boris Becker; «Zeus contra Hércules», bautiza Jon Wertheim en *Sports Illustrated*. Nunca, en tres siglos de tenis, dos raquetas habían compartido tres finales de Roland Garros y Wimbledon de forma consecutiva. Hasta hoy…

Ochenta y cinco televisiones de 185 países observan. En las gradas, Björn Borg y John McEnroe, protagonistas de la legendaria final de 1980, asisten a su sucesión, ya asumida. Martina Navratilova, Boris Becker, Billie Jean King o Manolo Santana firmarán como testigos. En el vestuario, Roger aguarda junto a su taquilla, la número 66. El genio helvético frota su lámpara. Rafael salta al lado de la suya, la 101. El gladiador hispano afila su espada.

«Vamos, chicos». Llega la orden para saltar a pista y espera el pasillo más sagrado del tenis: el camino hacia su catedral. A lo lejos asoma el templo sagrado y ya se oyen los murmullos de los fieles. A ambos lados, fotos de antiguos campeones; arriba, ese teorema hecho poema que Rudyard Kipling esculpió: «Si te encuentras con el triunfo y el desastre y tratas a esos dos impostores exactamente igual…».

Federer se encuentra con el micrófono de la BBC: «Me siento bien, pero puede ser un día duro, con la lluvia y un rival difícil. Será interesante». Un visionario. Cumpliendo con la costumbre de Wimbledon, sus manos van vacías. Un empleado del torneo le lleva la bolsa. Solo unos metros por delante, Nadal no suelta su raqueta. Un gladiador nunca presta su espada, lo exija el enemigo o la tradición.

Ovación de gala, susurros de admiración y un niño de trece años temblando de emoción.

—¿Vas a disfrutar del partido hoy?

Blair Manns asiente, demasiado asombrado para articular siquiera un monosílabo como respuesta. Está justo en el centro del escenario a punto de comenzar la función más memorable que el tenis ha visto jamás. Nervioso, exaltado, lanza la moneda al aire antes de tiempo, incapaz de recordar en ese momento que primero hay que elegir cara o cruz.

El supervisor del torneo interrumpe el vuelo mientras Rafa y Roger sonríen. Se repite el proceso, ya sin errores. Federer gana el sorteo y elige servir. Nadal restará. La sonrisa de Blair al fotografiarse con sus ídolos bien merece el aplauso unánime. El primero de muchos aquella mágica tarde. Silencio, se rueda. Luces, cámara... ¡Acción!

Londres. All England Tennis and Croquet Club. 6 de julio de 2008. 14 horas y 36 minutos. «¿Ready? ¡Play!», anuncia el dueño del mejor asiento de la platea. Pascal Maria, el juez de silla, aún no sabe que va a formar parte de un espectáculo inolvidable... Lo que sucederá después, hasta las 21.16 de la noche, es el mejor festival que un par de tenistas han ofrecido a este planeta: lluvia, oscuridad, drama, derrocamiento y tenis. Mucho tenis.

Intercambios eternos, derechas punzantes, reveses mordaces y voleas asesinas. Atrás quedó la época del saque y volea como único patrón de juego, ese que convirtió la semifinal de 1983 entre McEnroe y Lendl en un partido de 33 juegos en el que solo un punto (¡un punto!) superó los seis golpes entre ambos jugadores. Hoy, no. Hoy cada punto exige sangre, sudor y agonía. «Joder, lo que me queda por sufrir», gime Toni Nadal a los ¡doce minutos! del duelo. «Es el partido en el que peor lo he pasado jamás», reconocerá años después.

Todo se ha contado de aquel mítico desafío. Las paradas por la lluvia, incapaz de perderse tamaña exhibición. La única vez que Nadal ha celebrado una victoria antes de conquistarla, con aquella subida convencida a la red en el tie-break del cuarto set: «¡Voy a ganar Wimbledon! ¡Voy a ganar Wimbledon!», hasta que Federer inventó un passing de revés inexistente. Dos puntos después, el suizo se llevó el partido al parcial definitivo: 151 puntos para cada uno. Talento empatado, maestría igualada. «¡Maldita sea, qué suerte tengo de estar en este partido!», piensa, entonces, Pascal Maria.

«Aquella tarde sentías que allí estaba pasando algo realmente grande», confiesa el juez de silla francés. David Law, el estadístico de la BBC, atenta contra su propia vocación: «Las estadísticas ahora son irrelevantes. Esto no lo pueden describir los números. Si dejas de contar la acción y el ambiente un segundo, es un segundo perdido». La pista central de Wimbledon, «un lugar íntimo y reconfortante que a menudo parece más un teatro que un estadio», en palabras de Chris Clarey en *The New York Times*, esta vez bulle. Brama. Roza la explosión. «Fue una de esas excepciones comprensibles en la que los aficionados gemían y respiraban de forma entrecortada, murmuraban y aullaban, para al final ponerse en pie y aplaudir a Nadal».

Son las nueve de la noche y hasta el Ojo de Halcón, tecnología a priori infalible, se ha rendido al espectáculo. Gobierna la oscuridad y las cámaras ya no son fiables. «Casi no podía ver con quién estaba jugando», se quejará luego Roger. «En el último juego, no veía nada. Pensé que tendríamos que parar», asentirá Rafa, sin saber que la orden estaba dada. Irrevocable. 7-7: dos juegos más y la final se detendrá. La obra se quedará sin final. El telón bajará sin resolver la trama.

No. Imposible. Tamaño derroche de talento, con 149 golpes ganadores, casi el doble que los errores no forzados, exige un broche memorable. Tal oda inmortal, en la que durante cuatro horas y 48 minutos «se volvió difícil respirar, incluso mirar», según *The New York Times*, exige un «*the end*» glorioso al final del guion. Lo tendrá, a las 21.16, en la narración de ESPN: «6-4, 6-4, 6-7, 6-7, 9-7. El joven español de veintidós años, con la última luz del día, ha ganado Wimbledon».

«Caí de espaldas sobre la hierba, con los brazos estirados, los puños apretados y un rugido de triunfo. El silencio de la Centre Court dio paso a un auténtico jaleo y yo sucumbí, por fin, a la euforia de la multitud, dejándome inundar por ella, saliendo de la cárcel mental en que me había encerrado desde el principio hasta el final del partido, todo el día, la noche anterior y las dos semanas que había durado el mayor torneo de tenis del mundo. Que, finalmente, yo había ganado al tercer intento: la consumación del trabajo, los sacrificios y sueños de mi vida», compendia Nadal en *Rafa, mi historia*.

Turno para que Rafael salude a Roger en la red: «Gran torneo. Lo siento». Turno para que Toni Nadal llore, por primera vez, en una pista de tenis: «Lo pasé tan mal. La dureza del partido no me dejó ni disfrutar de la victoria. Wimbledon siempre había sido nuestro sueño, pero en el fondo de mi corazón temía que fuera un sueño imposible».

Turno, en definitiva, para que las leyendas se rindan a la evidencia: «El mejor partido que he visto nunca», concede McEnroe. «Es la mejor final de Wimbledon jamás jugada. Ver ese tipo de tenis durante tantas horas, ver a Rafa y a Federer jugar un nivel tan alto de tenis, es simplemente maravilloso, precioso, un tipo de arte. Y fuimos muy afortunados de estar allí y ver esa final», asiente Borg.

John y Björn, presentes; Pete, ausente, pero también pendiente. Cuando Federer llegue al vestuario tendrá un mensaje esperando en su móvil. El remitente responde al nombre de Pete Sampras, siete veces campeón de Wimbledon: «Mala suerte. Es demasiado injusto que haya un perdedor en este partido», cita L. Jon Wertheim en *Strokes of genius*.

En las gradas de la Centre Court está también la mujer de Pascal Maria. Él, desde su imponente silla, ha sido el encargado de anunciar al mundo el golpe de estado: «*Game, set and match, mister Nadal*». Ella ha dejado con los abuelos a Lune, su hija de tres años, para asistir al primer partido de su vida. «No veas más tenis. Te decepcionará», le sugiere Pascal nada más terminar el duelo. Consejo certero.

¿Recuerdan que hace un año, en Hamburgo, Roger rompió una racha de 81 victorias en tierra batida de Rafa? Pues hoy, en Londres, Nadal acaba de romper otra de 66 triunfos en hierba de Federer. Antaño, Zeus tumbó a Hércules. Hogaño, el gladiador ha devuelto al genio a su lámpara. «¿La final de Roland Garros? (perdió 1-6, 3-6 y 0-6) Ni siquiera se puede comparar. Esto es un desastre. En comparación, lo de París no fue nada. Estoy destrozado. Es mi derrota más dura, y con diferencia. Algo más duro que esto no me lo puedo imaginar». Ahora es Roger el que está hundido. Alma en pena. «Él todavía es el número uno. Él todavía es el mejor. Él todavía es pentacampeón aquí. Ahora yo tengo uno». Ahora es Rafael el que está eufórico. Corazón en júbilo.

El mundo entero observa y los flashes brillan sobre el césped sagrado de Wimbledon: por primera vez en sus carreras, Nadal sostiene la copa de campeón y Federer, el plato de finalista. Todo ha cambiado, salvo el respeto entre ellos, intacto. Chocan los cinco y Roger palmea la espalda de Rafael. Testigo entregado. Los números aún no lo dicen, el suizo aún gobierna, pero el planeta tenis lo tiene asumido.

En Italia, *Corriere della Sera*: «Épico Nadal, es el nuevo rey de Wimbledon. El mallorquín irrumpe finalmente en el paraíso de los inmortales». En Estados Unidos, *Sports Illustrated*: «Tenis épico. Nadal derrota a Federer en el mejor partido de todos los tiempos. Cambio de guardia». Y en Suiza, otra vez *Le Temps*: «Roger Federer ya no es el mejor jugador del mundo, aunque las cifras lo protejan de esta realidad. Con esta derrota ha entregado una parcela de su poder y de su inmunidad».

Roger lleva 232 semanas consecutivas como número uno. Todo un récord. Rafa, 155 semanas mirándole desde el segundo escalón. También único. Hasta que Pekín, oro olímpico mediante, sienta a Nadal en el trono de la raqueta y solicita a Federer una sucesión pacífica: «Siempre quise que alguien me quitase el número uno ganándome, no porque yo me lesionase o perdiese. Yo estuve en la final de Roland Garros y en la final de Wimbledon, y Rafa hizo lo que tenía que hacer para convertirse en el número uno del mundo. Fue capaz de hacerlo y se lo merece».

Fue el 6 de julio de 2008. Fue en la catedral del tenis. «¿Fue el momento más grande de mi trayectoria?», se pregunta el propio Nadal en *Rafa, mi historia*. «Todos los partidos son importantes; juego cada uno como si fuera el último, pero aquel, en aquel escenario, con aquella historia, aquella expectación, aquella tensión, las interrupciones por la lluvia, la oscuridad, el número uno contra el número dos, ambos jugando al límite de nuestro juego, la recuperación de Federer y mi resistencia a ella, y yo más orgulloso que nunca de mi comportamiento en una pista de tenis, obsesionado por el recuerdo de la derrota de 2007, pero peleando y ganando mi propia guerra de nervios… De modo que sí, súmese todo y será casi imposible imaginar otro encuentro que haya generado tanta emoción y tanta tensión dramática, y para mí y los míos, una satisfacción y una alegría tan grandes», responde Rafael, el niño ilusionado que ese día se convirtió en hombre satisfecho.

Pensar. Imaginar. Soñar. Tres costumbres de infancia y un anhelo común: Wimbledon. Desde siempre. Para siempre. Ni siquiera había ganado Roland Garros por primera vez, y *Sports Illustrated* entrevistó a Rafa Nadal. Entre titubeos y respuestas propias de su juventud, recién estrenada la mayoría de edad, llegó la pregunta definitiva.

—¿El torneo que más te gustaría ganar?

—Wimbledon, por supuesto. Para mí es el torneo definitivo. Ganar allí significa que eres un campeón de verdad.

Cuenta Jon Wertheim, el autor de la entrevista, que fue el único momento en que la voz de Rafael se aceleró y su corazón se emocionó. Ese día, al morder su quinto Grand Slam, al saborear el metal dorado de la copa más sagrada del tenis, Rafa Nadal se convirtió, por tanto, en un campeón de verdad. En el campeón que destronó al rey de Wimbledon: «Probablemente, al final de mi vida, lo reconoceré: "Aquel fue un gran partido"». Lo fue, Roger.

Posdata: Para llegar a la pelea por el título, Nadal derrotó a Beck, Gulbis, Kiefer, Youzhny, Murray y Schuettler, pero ¿quién lo recuerda?

Lo ganó el 6 de julio de 2008,
pero todo empezó mucho antes...

—No les molestéis —advirtió el guía de la ruta.

—No tenemos la más mínima intención de hacerlo —aseguraron con voz quebrada los asustadizos turistas de aquel safari.

—Estos animales tienen muy malas pulgas.

—Esperemos que todo vaya bien, no quiero que haya ningún problema. Tengo que jugar y quiero ganar Wimbledon.

El diálogo se produce en Sun City, una ciudad ubicada al noreste de Sudáfrica y a poco más de 150 kilómetros de la capital, Johannesburgo. Este lujoso resort internacional es uno de los grandes reclamos turísticos del país y un referente a la hora de organizar excursiones entre animales salvajes, al amparo del espectacular Parque Nacional de Pilanesberg. El complejo impulsado por el famoso hotelero, Sol Kerzner, ha sido además uno de los escenarios elegidos por Nike para celebrar la prueba internacional de su circuito de tenis en categoría junior.

Así ocurrió en noviembre de 2003. El Masters Internacional del Nike Junior Tour se trasladó hasta el sur de África, un campeonato que Nadal ya había conquistado en aquel mismo decorado solo tres temporadas antes con 14 años. A pesar del poco tiempo transcurrido desde su última participación en Sun City, su nombre ya sonaba entre los más prometedores del circuito profesional, no tanto por los títulos que no ocupaban su vitrina —aún no había estrenado su palmarés— como por los destellos que había destilado su muñeca izquierda a lo largo de aquel curso en el que fue capaz de derrotar a nombres ilustres como los de Albert Costa, en Montecarlo, o Carlos Moyá, en Hamburgo. Todos, resultados suficientes para impulsarlo entre las cincuenta mejores raquetas del ránking mundial por aquellas fechas.

Su condición de excampeón del evento, la etiqueta de talento llamado a irrumpir en la élite, su meteórica progresión en la lista ATP y la confianza depositada por Nike como una de sus imágenes de futuro, le sirvieron para que la marca americana le invitara a regresar unos años más tarde, en calidad de VIP, a la misma ciudad en la que en 2000 ya había dado algunas pinceladas del potencial que atesoraba su raqueta.

Sin que el sol hubiese asomado aún aquella mañana otoñal, Rafael ya había saltado de la cama para montar en globo y disfrutar de un safari privado, a lomos de un elefante. Una experiencia arriesgada, teniendo en cuenta su miedo confeso a todo tipo de animales, incluso a los perros.

El enorme caparazón del aerostático se alzó al cielo de Sun City rumbo a la aventura. Durante unas horas divisaron desde el aire la belleza natural que se expandía a sus pies. Una vez en tierra, entre montañas, praderas, arroyos y lagos, un guía les esperaba para iniciar la ruta hacia el interior del parque sobre los enormes paquidermos. Rafael jamás había montado sobre un animal de aquellas dimensiones.

El viaje transcurría sin problemas hasta que un pequeño imprevisto rompió la calma. De repente, el paseo se detuvo. La presencia de un reducido número de rinocerontes quebrantó la armonía del grupo. El guía agarró su fusil ante los extraños movimientos de uno de aquellos mamíferos que amenazaba el andar tranquilo de los elefantes.

—¡Quietos! ¡No os mováis!

—¿Qué ocurre?

—Mantened la calma. ¿Veis aquel rinoceronte?

—Sí, ¿es peligroso?

—Parece un poco nervioso.

Un sudor frío recorrió la espalda de Rafael. Su reconocido recelo a los animales, sobre todo a los de aquellas dimensiones, cobró más fuerza que nunca. La actitud desconfiada del jefe de la expedición le hacía temerse lo peor. Mucho más, después de que ordenase mantener la calma al resto del grupo. Pero solo fue un susto. Una anécdota. El diálogo entre los protagonistas a lomos de elefantes continuó con el deseo de Rafael al inicio de este capítulo y su obsesión con ganar en Wimbledon. O eso, al menos, relatan los mentideros…

Pero no todos los cuentos son para siempre, las princesas están protegidas por hadas madrinas y los caballeros de capa y espada son héroes. Aunque en la mitología del tenis habría sitio para esta leyenda, el propio Nadal se encargó de desmentirla en *Tennistopic*: «Yo ya era profesional, lo había ganado tres veces [el Nike Junior Tour] y volvía allí como imagen de Nike a ver a los jóvenes. Aproveché para hacer un pequeño safari montado en un elefante. No recuerdo que fuera una manada de rinocerontes, recuerdo que había uno o dos (risas). Pero sí es cierto que el guía preparó la escopeta por lo que pudiese pasar».

Hasta este punto, la tradición oral apenas traiciona a la verdad. Pero Rafael jamás pensó en ganar en Wimbledon en pleno peligro. «No, seguro que no. En aquel momento no pensaba en nada de eso ni mucho menos. Estaba pensando en que el rinoceronte se fuera para otro lado. No es tan importante mi carrera tenística como para pensar en momentos de peligro en eso. Pienso en la vida, que es mucho más importante que el tenis. No pasó nada. De hecho, lo vimos, el guía se puso un poco a la defensiva y dijo que era un poco peligroso por si el rinoceronte se volvía loco. Nos mandó no movernos, pasamos tranquilamente y el rinoceronte nos miró. Supongo que los guías conocen los gestos de los animales y vio que este estaba un poco nervioso».

De su garganta adolescente nunca emanaron aquellas palabras que proclamaban sin disimulos uno de los grandes deseos que persiguió durante toda su carrera hasta que lo consiguió el 6 de julio de 2008. «Las cosas luego se magnifican cuando uno es mayor o cuando ya lo ha conseguido. Las cosas se venden de pequeño de una manera que no son. Uno sueña con llegar a jugar algún día Wimbledon. ¿Qué vas a pensar en ganar cuando tienes 12 años? Si no eres muy arrogante no piensas en esas cosas, piensas en jugar y en disfrutar de la ilusión de poder jugar algún día allí. Y hacerlo por primera vez fue una experiencia fantástica. Supongo que la culpa la tiene mi tío. De pequeño siempre hablaba de la ilusión por querer jugar Wimbledon. Jugar en hierba es algo diferente. En cemento puedes jugar en todos lados y en tierra también. En hierba no juegas casi en ningún sitio».

Tal vez Rafael nunca confesara que aquel no podía ser el último día de su vida porque aún le faltaba triunfar en el All England Lawn Tennis and Croquet Club, pero lo que sí es seguro es que aquellos animales no evitaron que cinco años más tarde del temido encuentro Nadal coronara su sueño de infancia: conquistar el título en la Catedral. En la inmaculada hierba de Wimbledon, la misma superficie sobre la que pastaba a sus anchas aquel agitado rinoceronte.

Capítulo VI

Abierto de Australia 2009
Triunfar lejos de su tierra, la natal y la batida

«Si mi tío Toni no existiese, entonces no me estaríais entrevistando ahora mismo como el jugador de tenis Rafa Nadal.»

Rafael Nadal

Viernes, 30 de enero de 2009. «Me vine abajo. La coraza se me desprendió y el guerrero Rafa Nadal, a quien los fans creen conocer, dejó al descubierto al Rafael vulnerable y humano».

Domingo, 1 de febrero de 2009. «Es muy especial. Para mí, es un sueño ganar aquí, un Grand Slam en pista dura. Trabajé mucho los últimos... bueno, toda mi vida para mejorar mi tenis fuera de la tierra batida. Estoy muy feliz. Hoy había muchas emociones en pista. Yo estaba ahí con el mejor jugador que he visto nunca, con Roger. Lo siento por este difícil momento para él, pero, ya sabéis... Es un gran campeón. Es el mejor».

Entre ambas frases, menos de 48 horas. Lágrimas y músculos rotos. Gritos de rendición obviados y la certeza de la derrota acechando. Y una constatación empírica de una ley incuestionable: «La cabeza es fundamental no solo para ganar, sino para vivir». Firma Toni Nadal, asiente cualquier homo sapiens.

Es la quinta vez que Rafael viaja a las antípodas persiguiendo un sueño que muchos creen inalcanzable. Utópico. Quimérico. Un anhelo quizá imposible: conquistar un Grand Slam en pista rápida, tan lejos de su tierra, la natal y la batida. En las cuatro ediciones anteriores ha ido quemando etapas paso a paso. Sin saltos. Tercera ronda en 2004, octavos de final en 2005, cuartos en 2007 y semifinales en 2008. Queda la final. Solo la final. El único territorio inexplorado.

Comienza el torneo y todo funciona a la perfección, con preguntas casi idénticas para abrir cada rueda de prensa. 6-0, 6-2 y 6-2 a Christophe Rochus: «¿Podías haber pedido un inicio mejor?». 6-2, 6-3 y 6-2 a Roko Karanusic: «Solo has cedido 11 juegos en dos partidos. ¿Cómo valoras tu estado de forma? Debes estar feliz». 6-4, 6-2 y 6-2 a Tommy Haas: «¿Puedes jugar mejor que esto?». 6-3, 6-2 y 6-4 a Fernando González: «Aún no has perdido un set. Después del partido de hoy, ¿a qué distancia de tu mejor nivel estás?». Y 6-2, 7-5 y 7-5 a Gilles Simon: «Estás en semifinales sin ceder un set de nuevo, como el año pasado». Como el año pasado, ese en el que Jo-Wilfried Tsonga se presentó al mundo y despertó de golpe a Nadal de su sueño australiano.

Detalles, recuerdos, advertencias por las que el manacorense confía sin confiarse. Espera Fernando Verdasco, todavía vestido con el disfraz de héroe que confeccionó en Mar del Plata apenas dos meses atrás. De allí se trajo la Copa Davis para España y toneladas de confianza para su juego. Nunca había pasado de octavos de final en un Grand Slam, y ahora está en semifinales. Nunca ha sido candidato, y acaba de tumbar a Tsonga, finalista el año anterior. Nunca ha ganado un set a Rafa en pista dura, y aún así siente que puede ganar.

Lo que sucederá desde entonces hasta que la madrugada haga su aparición en Melbourne es un baile de bombas. Una danza de granadas. Cordajes que gritan, raquetas que crujen. En cinco sets, tres muertes súbitas.

Se anuncian decesos, pero llegan resurrecciones. 6-7 Verdasco. 6-4 y 7-6 Nadal. 6-7 Verdasco. La bandera de rendición seduce a ambos a medida que el aire se agota en los pulmones. Hace tiempo que se agotaron también los adjetivos para calificar el partido.

El calor mortifica. El viento, ligero, abrasa. El ritmo de pelota asfixia. La tensión carcome. Y llega el momento de la verdad, ese en el que la raqueta deja paso al corazón y los brazos ceden el protagonismo al alma. Es la una y media de la madrugada. Durante las últimas cinco horas Fernando Verdasco y Rafa Nadal han hecho un auténtico homenaje al tenis. Su hoja de servicios no admite un solo «pero». Fortaleza física y talento. Voluntad y clase. Hasta que... «Se me llenaron los ojos de lágrimas. No lloraba porque me sintiera derrotado, ni triunfador, sino como reacción a la extenuante tensión del partido».

5-4 en el quinto set, Fernando al saque y Rafa dispone de tres bolas de partido. Toni Nadal se levanta en su palco y grita a pleno pulmón. Da igual, el ambiente es atronador y nadie lo escucha. «*Just do it*», impera su camiseta. «Simplemente hazlo». Verdasco parece tranquilo. Inconcebible en un momento así. Gran saque, revés abierto y remate ganador: adiós a la primera bola de partido. De nuevo funciona el saque, derecha profunda y volea definitiva: adiós a la segunda bola de partido. Queda solo una. Y Rafael... explota.

«Me vine abajo. La coraza se me desprendió y el guerrero Rafa Nadal, a quien los fans creen conocer, dejó al descubierto al Rafael vulnerable y humano». Él, una máquina de competir; él, la azotea más privilegiada del deporte mundial; él, Rafael, está llorando. A un solo punto de pisar por primera vez la final de un Grand Slam en pista rápida.

Toni se ha dado cuenta. «En el último punto recuerdo que dije: "¡Joder, está llorando!"». Varios aficionados se han dado cuenta. «La tensión se podía ver. Era un partido increíble y Verdasco le pegaba con todo. Estaba en el quinto set y sacaba el segundo servicio a 180 kilómetros por hora. Le pegaba muy bien por todos los lados y el partido estaba realmente complicado. Rafael en el quinto set llegó al 5-4. Y entonces, 0-40, 15-40, 30-40, y me imagino que no pudo contener las lágrimas, fruto de la tensión. Yo lo veo porque lo tengo al lado. No está roto, pero está emocionado. Y tanta suerte que Verdasco...».

Fernando no se ha dado cuenta. El primer servicio se marcha muy largo. «El único que no lo vio fue Verdasco. O no se dio cuenta, o estaba en peores condiciones que yo». El segundo se queda muy corto, engullido por la red. Doble falta. «¡Oooohhhh, noooo! ¡Qué pena!», gritan al unísono los comentaristas de la televisión australiana. Nadal se derrumba y mira al cielo. Verdasco se arrodilla y se asoma al infierno. Luego se funden en un abrazo. Saben que acaban de firmar una sinfonía dramática, sí; inmortal, también.

Años después, periodistas y expertos coinciden: sin ese error, cambiando el dueño de ese punto, el choque hubiera elegido otro triunfador. La historia hubiese cambiado, para Fernando y para Rafael. «No lo sé. Hombre, lo que está claro es que no es la mejor disposición jugar un punto estando tan emocionado. Está claro que se podía escapar el partido. Cuando dejas pasar tres bolas de partido, te suele afectar en los siguientes puntos», reconoce Toni.

La estadística, fría y cruel, lo confirma: 193 puntos para el manacorense, 192 para el madrileño. Un solo punto ha marcado la diferencia. Ese punto. 15.000 aficionados, boquiabiertos, intentan comprender lo que acaban de vivir. Todos aplauden, incluido un eufórico Rod Laver, entusiasmado con el espectáculo que acaba de ofrecer la pista que lleva su nombre.

«Juego, set y partido para Rafael Nadal». Las cámaras buscan el reloj de pista. Nunca se ha visto un duelo más largo en el primer Grand Slam de la temporada. Tras cinco horas y catorce minutos de batalla sin cuartel, Nadal acaba de clasificarse para el desafío definitivo del Abierto de Australia. Pero está roto. Ahora sí que está roto. Los músculos no responden y le cuesta articular un discurso coherente en la sala de prensa.

«Su doble falta me ha dado alivio, más que pena». «Hoy fue uno de esos partidos que recordaré durante mucho tiempo. La emoción era grande y en el último juego, con 0-40, empecé a llorar. Había mucha tensión». «Fui muy bueno mentalmente en todo momento, creyendo en la victoria y estando muy centrado, porque fue realmente duro». Un calambre recorre su espalda y le obliga a dejar de hablar durante un instante. «Ahora me queda hacer el esfuerzo de mi vida contra Federer el domingo», remata.

—¿Qué harás mañana? ¿Qué puedes hacer que ayude a recuperarte?

—Bueno, no sé a qué hora me iré a dormir. ¿Qué hora es?

Las tres menos cuarto de la madrugada. Suspira. Sabe que ahora ya no depende de él. Es turno para el masaje y el hielo. Para el descanso. Para comprobar porqué Nadal siempre da las gracias a su equipo nada más firmar cualquiera de sus hazañas. Es turno para Joan Forcades: el preparador físico, el consejero a golpe de teléfono, la solución a distancia. Y es turno, sobre todo, para Titín, para Rafa Maymó: el fisioterapeuta, la sombra silenciosa, el amigo omnipresente, el ángel de la guarda.

El cuerpo humano tiene un límite. Joan y Titín dan el cien por cien, pero la naturaleza no entiende de magia. Los gemelos lloran, el hombro gime, todo duele. «Estaba más cansado que en ningún otro momento de mi vida». Por primera vez en su carrera Rafa no puede entrenarse el día previo a la final. «Mareado, totalmente agotado, con las piernas de plomo». Tampoco puede calentar horas antes de la gran cita. «Quedé físicamente hecho polvo y el resultado que preveía, y para el que me estaba preparando mentalmente, era una derrota por 6-1, 6-2 y 6-2».

Hace casi 72 horas que Roger Federer, su rival por el título, ganó a Andy Roddick sin ceder un solo set. Desde entonces descansa tranquilo, sin contratiempos, mientras por la cabeza de Nadal sobrevuela una palabra maldita: retirada. No es una opción, jamás, pero sí una tentación. Suculenta. Irresistible.

Es el momento ideal para que aparezca el arquitecto que diseñó esa cabeza a prueba de gritos de rendición y certezas de derrota. Entonces, justo entonces, Toni Nadal enuncia «el discurso más estimulante que había pronunciado en su vida», tal como lo recuerda el propio Rafa. El vestuario de la Rod Laver Arena escucha, asombrado, dos horas de soliloquio en busca de un milagro.

«En aquel momento Rafael estaba con una actitud mala para afrontar un partido. Él me dijo que no podía». La voz de Toni resuena con fuerza. «Oye, ¿cómo que no puedes? Todos podemos más, porque lo sé. Porque en la vida todos podemos más». El tono es duro, con la franqueza que dan los lazos familiares y la confianza que otorgan miles de horas de entrenamiento. Porque el cuerpo humano dice tener un límite…

«Entonces sé que empecé la charla que duró la tira, sin ser agresivo, pero sí duro con él. Diciéndole "no me digas esto; no me engañes y no te engañes. Tranquilo, que no va a venir tu padre a ayudarte. No confíes que baje Dios a ayudarte. No va a bajar nadie"». Sin adornos. Sin hipocresías. Sin oídos regalados. «Si estás mal ahora, estarás peor dentro de dos horas y media. Tú sabrás si quieres hacer el esfuerzo o no. Es tu problema. Haz lo que consideres oportuno».

Pero su pupilo, su sobrino, sigue sin reaccionar. «Si hay una situación de peligro inminente, se puede más. Todo es cuestión de buscar una motivación especial. Imagínate que en el estadio hay un tipo sentado detrás de ti, apuntándote con una pistola y diciéndote que, si no corres sin parar, apretará el gatillo. Me juego lo que sea a que echas a correr. ¡Así que muévete!». Y se movió. Reaccionó. Despertó. «Salió. Hizo click».

Ya está. Nadal vuelve a ser Nadal. «Cuando vi que reaccionaba bien, pasé a hacerle un chiste y a repetirle la frase de Obama: *"Yes, we can"*. Le dije: "Repítete esto muchas veces: *Yes, we can*. Y al menos inténtalo. ¡Puedes, Rafael! ¡Puedes, de verdad! *Yes, we can"*». Y pudo. Como tantas otras veces, desgastando hasta el hastío el revés de Federer. Sin aburrirse hasta aburrir al que siempre gozó de los favores más preciados de la raqueta.

El botín en juego y los aspirantes anuncian un gran partido, pero la pista no lo ve. Los golpes memorables escasean. La presión y la tensión gobiernan. Roger pelea contra su mente, torturada; Rafa, contra su cuerpo, demacrado.

—¡Tengo calambres! —brama.

—¡Olvídate de ellos! —responde su palco.

Tras múltiples alternativas, sin demasiados quilates, el partido está empatado: 7-5, 3-6, 7-6 y 3-6. El suizo se ha apuntado el último parcial, pero su saque no domina y sus errores no forzados abundan. Desconfía. Todavía no sabe que Nadal ya navega hacia una victoria irrefutable, pero lo intuye.

Con 2-0 a su favor en el quinto parcial, Rafa mira a su familia, a su equipo. Rafa mira a Titín. Rafa mira a su entrenador, a su tío. Rafa mira a Toni. Tres palabras. Breves, directas y llenas de agradecimiento: «Voy a ganar». Toni no responde. Ya había dicho todo lo que tenía que decir. «Y al final la realidad es que el que no podía dos horas y media antes de empezar, cuando acabó en el quinto set estaba más fresco que Federer». Y gana. 6-2. De nuevo con un solo punto de diferencia, aunque esta vez favorable a Roger: 173 para el manacorense, 174 para el suizo. Ventaja inútil.

La final ha durado cuatro horas y diecinueve minutos. «En aquel momento estaba más cansado que feliz», confiesa Nadal, que ha pasado casi diez horas de las últimas 48 llevando el cuerpo al límite. Llevando la mente al límite. A esa frontera que solo cruzan los elegidos... en compañía de su equipo. Con su gente. La que lo ha llevado a convertirse en el primer tenista español capaz de conquistar las antípodas. Tan lejos de su tierra, la natal y la batida.

La Rod Laver Arena, dos días después, vuelve a empaparse en sollozos. Pero ahora es Federer el que llora en su silla. Se levanta. Le toca hablar: «Hola chicos. Me siento mejor». Sonrisa forzada y aplauso unánime. «Bueno, gracias por el apoyo. A ver, este chico es increíble». «*Thank you*», se dibuja en los labios de Rafa.

«Ahmmm...», continúa el suizo. «Te queremos, Federer», grita un aficionado a pleno pulmón. Roger sonríe y deja caer nuevas lágrimas. Sabe que el discurso acabará pronto. «Quizá lo intente otra vez luego... No sé. ¡Dios! Esto me está matando». Llanto inconsolable. Se lleva la mano al rostro para intentar esconderse del mundo mientras el público aplaude.

Nadal, en un segundo plano, fuera de la escena que debía protagonizar, también aplaude. Casi dos minutos de lágrimas. Casi dos minutos de aplausos. Y un abrazo, de Rafa, con unas palabras cómplices nunca divulgadas. «Eres el mejor. Hoy también. Y superarás el récord de catorce Grand Slams», supongamos. Justo entonces, solo entonces, Roger vuelve a sonreír.

«Amo este deporte. Significa un mundo para mí, así que perder duele», dirá luego Federer. «En el primer momento estás decepcionado y en *shock*. Estás triste y todo te supera. El problema es que no puedes irte al vestuario y darte una ducha fría. Tienes que salir a hablar. Y ese es el peor momento». «Al acabar el encuentro, Roger estaba mentalmente tan destrozado como lo había estado yo físicamente antes de jugarlo. Lo sentí por él», responderá Nadal.

Cuenta la leyenda que Rafael tenía preparada una sorpresa para su amigo Carlos Moyá. Un homenaje doce años después de aquel inolvidable «Hasta luego, Lucas», la despedida que eligió Charly cuando los focos de la raqueta lo alumbraron por primera vez en Melbourne allá por 1997. «Lucas ya está aquí», quería despedirse Nadal. No era el momento. No con su *alter ego* destrozado. Habrá mejor ocasión…

Termina el Abierto de Australia de 2009, el Grand Slam de las lágrimas. Contra Verdasco lloró Nadal, sin saber que la sonrisa estaba al caer, justo a la vuelta de la red. Contra Nadal llora Federer, consciente de que tendrá que esperar para igualar los 14 grandes títulos de Pete Sampras. Consciente de que la amenaza que le acecha no desaparecerá. Consciente, sobre todo, de que sus triunfos nunca más serán omnipresentes.

Nunca más será invencible. Nunca más será el dictador de la raqueta. Reinaba en Wimbledon y le obligaron a abdicar. Reinaba en el tenis mundial y ha cedido el trono. El número uno del mundo, extenuado pero exultante, se llama Rafael Nadal.

«Por supuesto acabo de ganar un título importante para mi carrera, pero ahora no soy mejor que hace cinco horas. Esa es la verdad, ¿no?», busca convencer a periodistas de los cinco continentes, que juegan con las palabras para intentar definir una rivalidad que ya se antoja eterna. Ninguno de ellos sabía entonces lo que había pasado en ese vestuario, las dos horas que lo cambiaron todo.

Tiempo después, recordando todos los títulos del

Grand Slam que adornan su palmarés, Nadal no duda: «¿El triunfo en Australia? Sin duda es la victoria más inesperada de mi carrera. Estaba tan cansado antes de la final...». Y sin embargo en aquel vestuario, durante aquellas dos horas, Rafael se convenció definitivamente de una regla que aplicará el resto de su trayectoria: «La clave de este deporte está en la mente. La mente puede vencer a la materia».

Lo ganó el 1 de febrero de 2009, pero todo empezó mucho antes...

«Y bueno, era un chico inocente. Se lo creía todo...». Rafael tiene tres años y vive enfrente del Club de Tenis Manacor, donde trabaja su tío como entrenador. Una tarde cruza la calle y Toni le da su primera raqueta. «Le tiré con la mano y la golpeó. Lo que me sorprendió fue cómo se colocó. "Ostras, este niño..."». Ahí empezó todo. Un año después ya entrenaban con asiduidad. El sobrino y el tío. El tenista y el entrenador. El niño inocente y el adulto bromista.

Rafael, el primer nieto, el primer hijo y el primer sobrino de esa generación de la familia Nadal, «era un niño muy bueno y exageradamente inocente. El juguete de la familia». Y crédulo, muy crédulo. «Yo le hacía creer cualquier barbaridad. Me reía la tira. Cuando ves un chaval que le puedes hacer creer cualquier cosa y te sorprende con la contestación...». Toni inventaba, su sobrino escuchaba. «Me engañaba con todo. Me decía todo tipo de barbaridades y yo me lo creía todo». Entre las barbaridades, un ser omnipotente: futbolista, ciclista y mago. Tres en uno.

Cada noche se montan partidillos en el garaje de los Nadal y Rafael elige compañero: Toni. «Cada noche le elegía a él de pareja. Podía elegir a quien quisiera y le elegía a él». Enfrente, su otro tío, Miguel Ángel. «Mi hermano ya jugaba en el Barcelona, pero le decía a mi sobrino que yo era el verdadero fenómeno». No importa que Miguel Ángel ya sea campeón de Europa; Rafael cree que el gran futbolista de la familia, la mejor elección, es Toni. Pieza clave de dos grandes del continente: Manchester United y AC Milan.

«Era un ídolo en Italia. Le llamaban Natali, jugaba en el Milan y ganó no sé cuántos *scudettos*... Un ídolo». Sobrino orgulloso. «Yo era la estrella. Recuerdo la alineación que le daba en comidas familiares: Macarroni en la portería, Tortellini, Spaghetti y no sé quién en la defensa, Fetuccini en el medio del campo, y en la delantera, el gran Natali, que era yo». Tío legendario.

Hasta que la realidad estropeó la ficción. «Él se llevó una desilusión total cuando me vio jugar de verdad». Un partido de fútbol sala organizado entre amigos y una tarde desafortunada del gran Natali. «Hubo un momento en el que fui realmente a verle jugar un partido de *futbito*... Un desastre de partido. Me quedé hundido. Me quedé destrozado, te lo juro», recuerda Rafa entre risas. «Llegué a mi casa y le dije a mi madre: "Oye, me parece que Natali no es tan bueno".» «Tuve un mal día», se excusa el supuesto futbolista. «Era más malo que el tabaco», cierra el descorazonado admirador.

Turno para desmontar mitos. «Entonces tuve que empezar a reconocer que había exagerado un poco y que yo, realmente, en el Milan solo ganaba a las cartas en el banquillo». Y para qué saltar a calentar si podía quedarse junto a la estufa del vestuario. Del dineral de sueldo y los miles de autógrafos, nada de nada. «Desde ese día tuve que cambiarlo todo: ahora ya era un jugador mediocre y en Milán me querían despachar, pero yo no me iba. El entrenador ya no me ponía nunca, hasta que un día me dijo: "Bueno Natali, hoy juegas"».

Había llegado el día de la verdad. «Salgo por el túnel y veo una pancarta que pone "Natali, te queremos". Y salí todo contento al campo». No, espera. «Solo había visto las dos primeras líneas. En realidad ponía "Natali, te queremos matar". De lo malo que era. Aquel día me tiraron de todo, a ver si me iba de una vez a mi pueblo». Acababa la carrera futbolística del Gran Natali, leyenda urbana de los terrenos de juego y de las mentes de infancia.

La inocencia del pequeño Rafael no tenía límites. La variedad de hazañas de su tío, tampoco. «También gané seis Tours de Francia. Miguel Indurain había ganado cinco y yo tenía que ser mejor». Triunfador y astuto. «Y además era mucho más listo, porque los ganaba con una bicicleta que en realidad era una Vespino». Mientras el resto de ciclistas se desgastaba durante toda la etapa, Toni solo pedaleaba al cruzar la línea de meta. «Yo iba de paseo, mirando el paisaje, y los demás, sudando».

Ayudaba que cuando los Nadal iban a la playa, su tío decía que prefería ir en bicicleta. En cuanto arrancaba el coche familiar, corría hacia el suyo, conducía deprisa y aparecía en la playa antes que nadie. Al llegar, Rafael le encontraba aparcando la bicicleta en el paseo marítimo, convencido de que su tío a los pedales era más rápido que su padre al volante. Y mejor que Indurain.

«Aparte de esto, yo hacía magia». El cenit de la fábula: el Mago Natali. «Sí, sí, yo era mago». Y tenía una amalgama enorme de trucos y poderes. «Durante mucho tiempo le hacía creer que se volvía invisible». Cada sábado el clan al completo se reunía a comer, «y claro, como era el único nieto, yo era el centro de atención». Todos pendientes del pequeño Rafelet… y de las travesuras de Toni.

Ambas manos encima de la cabeza, conjuro mágico y orden final: «¡Buaaaah! Ya no te ve nadie». El niño coge un vaso, y uno de los tíos, cómplice, reacciona al momento: «Oye, ¿habéis visto ese vaso? Se levanta solo». Se acerca a su padre y le hace una burla con la mano sobre la nariz. No hay respuesta. Le da una colleja. Sin reacción. «¿Alguien ha visto al niño? Rafel, ¿dónde estás?». ¿Le ayudará el abuelo? Qué va, también se une a la chanza. «Esto se lo tienes que hacer a la profesora. Cuando te mande algún ejercicio que no quieras hacer, "zas, invisible" y te vas», insiste el Mago Natali. Sonríe, con mirada maliciosa, Rafael.

«A Lendl le hice retirarse...». Domingo, 21 de febrero de 1993. Tío y sobrino se sientan a ver un partido de tenis juntos. «En diferido...», un detalle que desconoce Rafael. Toni ya sabe que Mark Woodforde, mítico integrante de los «Woodies», una de las parejas más laureadas de la historia, acaba de ganar por sorpresa el campeonato estadounidense bajo techo en Philadelphia, su cuarto y último título individual.

«Mientras Woodforde se sentía "en extasis y más allá de la Luna", Ivan Lendl se sentía como un dolorido y envejecido tenista camino de su retirada», se leerá en las crónicas locales al día siguiente. «Lendl me está cabreando. Su forma de jugar me está molestando», se escucha en Manacor cuando el partido marcha empatado a tres juegos.

—¡A este tío le voy a hacer perder! Voy a hacer que se retire.

El niño, desconsolado, reclama compasión.

—No, no. No lo hagas, que eso está mal.

—¡Que sí, que estoy enfadado! A este tío le hago que se lesione.

—No. No puedes hacerlo. Pobre...

—Lo siento, ya he tomado la decisión. Le quedan tres juegos.

Una gran dejada da el 5-4 a Woodforde y Lendl, en su inútil esfuerzo por alcanzar la pelota, nota un pinchazo en la parte baja de la espalda. Parece algo serio. Solicita atención médica e intenta volver a pista, pero el único servicio que pone en juego apenas supera los 100 kilómetros por hora. No habrá más tenis: Ivan Lendl se retira. Mientras avanza hacia la red para dar la mano a su rival y rendir la raqueta, el pequeño Rafelet busca el consuelo de su abuela. «¡Abuela, abuela! Natali ha lesionado a un jugador». En Philadelphia, un campeón de ocho Grand Slams siente dolor y rabia. En Manacor, a 17.000 kilómetros, un niño que quiere ser tenista se enfada con un mago sin corazón.

Más poderes. Rafael ya tiene siete años. «Seis o siete... Mejor decir seis, y así no quedo tan mal». Se entrena cuatro días a la semana y en su baúl de ilusiones el tenis intenta robarle protagonismo al fútbol. Ese fin de semana se disputa un torneo entre clubes en Alcudia y a Toni le falta un jugador. «Bueno, vente tú». Solo hay un problema: su rival tiene doce años. Se presume una derrota contundente. «Y durante el camino le estuve dando la táctica de lo que tenía que hacer...»:

—Y si te gana 6-0 y 5-0, le dices que tu padre tiene mucha prisa y que ya acabaréis otro día.

—No, tío. Eso no lo puedo hacer.

—Bueno, pues ¿sabes lo que voy a hacer? Si veo que te gana de mucho, haré llover.

—Jo, ¿tú puedes hacer llover?

—Claro que puedo hacer llover. Soy mago. Mira, con estas gafas tan chulas, me las pongo y empieza a caer el agua.

El pequeño se queda pensativo. El cielo amenaza, nublado, pero no imaginaba que los poderes del Mago Natali llegasen tan alto. Se suceden los partidos y llega el turno de Rafa. La imagen del saludo en la red es demoledora: su rival le saca varios centímetros y sonríe, convencido de la victoria. «Empieza el partido: 1-0, 2-0, 3-0, 4-0. Pero a Rafael le dio igual. Comienza a correr, a pasar bolas y salvarlo todo: 4-1, 4-2, 4-3... y se pone a llover».

La pista resbala demasiado y la integridad de los jugadores empieza a correr peligro. «Este niño se puede matar», piensa Toni. Se detiene el juego y se acerca a la entrada de la pista, donde Rafael espera hasta que su rival se aleje. «Oye, Natali, puedes parar la lluvia. Creo que a este tío le puedo ganar», susurra. Ahora es el entrenador el que mira atónito a su pupilo. Por cierto, la lluvia paró y Nadal… perdió. 7-5.

No pasó mucho tiempo hasta que descubrió, no sin desasosiego, que Natali no era mago. Tampoco futbolista. Ni siquiera ciclista. Eso sí, en uno de los momentos más trascendentes de su carrera, durante una de las pausas obligadas en la final de Wimbledon 2008, no olvidó al Mago Natali: «Ahora no hace falta que hagas aparecer la lluvia», le dijo entre risas.

Horas después, Rafa Nadal conquistaría la catedral del tenis, pero siempre con Rafael presente. El Rafelet crédulo e inocente hasta el extremo. «Me lo creía todo. ¿Era tonto o simplemente demasiado imaginativo? Cómo se lo montaba Toni… Y yo, picando como un idiota. Pero ¡qué bien me lo pasaba!», recuerda en *Rafael Nadal, crónica de un fenómeno*.

Y meses después, allá por 2009, el Mago Natali reaparecería en Melbourne. En el vestuario de la Rod Laver Arena, en forma de monólogo eterno que reconstruye músculos y reconforta mentes. Es una evidencia: Nadal no habría ganado el Abierto de Australia si no creyese en su tío, en su entrenador. En su discurso y en su filosofía. En su magia y en sus bromas. «Y bueno, era un chico inocente. Se lo creía todo…». Se lo cree, Toni. En presente.

Capítulo VII

ROLAND GARROS 2010
«Partido hostil, ¿estamos?»

«Perdí el año pasado porque no estaba bien preparado y porque tenía la moral muy baja, pero ahora he vuelto. He vuelto y he ganado. Quizás este sea el torneo que más deseaba ganar.»

RAFAEL NADAL

«*L*a volea... *¡OUT!* Nadal ha perdido. Su racha de treinta y una victorias en Roland Garros se ha terminado. ¡Guau! Ha sucedido.» Incredulidad en la radio oficial del torneo francés. Un momento único: nunca visto, nunca repetido. El 18 de febrero de 1979 el desierto del Sáhara vio por primera y única vez cómo caía nieve. El 31 de mayo de 2009 la arcilla de París vio por primera y única vez cómo perdía Rafa.

Antes, durante el duelo que le enfrenta al sueco Robin Söderling, se escribe la crónica de una muerte anunciada. «Por favor, animadle que está hundido», implora Toni a sus compañeros de palco. «No puedo más, no puedo más», repite una y otra vez Rafa. Pelea, como siempre, pero sabe que la derrota acecha.

—¡Vamos, Rafael! ¡Vamos! —se desgañita su tío.

—No puedo —capitula el tetracampeón.

«Si juegas al tenis, pierdes. Así funciona. Solo un jugador puede ganar todos los partidos de un torneo y nadie puede ganar todos los torneos. No es una tragedia perder aquí en París. Tenía que pasar algún día». Rafael no busca excusas. «No jugué mi mejor tenis. Luché, pero a veces no es suficiente con luchar. No ataqué en ningún momento, jugué muy corto y le puse muy fácil jugar a este nivel». Rafael no dice que sus rodillas no dan más de sí.

«No, no. El viento afecta a los dos jugadores, así que no voy a poner ninguna excusa. Este es el final del camino y tengo que aceptarlo. Tengo que aceptar mi derrota como acepté mis victorias: con tranquilidad y con la cabeza fría para analizar qué hice mal». Rafael no cuenta que la separación de sus padres le ha destrozado. «Después de cuatro años he perdido aquí y tengo que trabajar más duro para estar preparado para los siguientes grandes torneos».

Rafael no confiesa que ha llegado a perder el deseo de jugar al tenis. «He tocado fondo mentalmente», admitiría poco después, tras renunciar a defender su corona en Wimbledon. «Estoy fuera. Creo que he llegado al límite y necesito una limpieza para volver con fuerza».

—¿Cuándo volverás? —inquiere la prensa internacional.

—Cuando esté bien —concluye Nadal.

El abismo asoma. Él, coleccionista de trofeos, estará diez meses sin morder ninguno (Copa Davis aparte). Él, antaño indomable, recolecta derrotas ante los Top 10 y ni siquiera se apunta un set en tres duelos de la Copa de Maestros. ¿Volverá Nadal a ser el que era? La pregunta circula por los mentideros de la raqueta y predominan las respuestas negativas. «Oigo que no voy a ser el mismo desde 2005...».

«No creo que esta lesión de rodilla suponga el final de mi carrera», contraataca Rafa. «Sin sufrimiento no hay felicidad», añade Rafael. ¿Y Nadal? Cuando derrotó al entonces campeón de Roland Garros (Albert Costa) con solo 16 años, asumió que para ser rey en París necesita ser príncipe en Montecarlo. «Aquí me siento en casa. Es mi hogar fuera de mi hogar». Es su termómetro, con el mercurio disfrazado de arcilla.

«Como empiece a ganar...», murmura su equipo. Y empieza. Montecarlo: en cinco partidos, tres 6-0 y 6-1 (once en toda su carrera). Nunca ganó un torneo con tanta autoridad. Roma: la cuenta de victorias balsámicas alcanza el doble dígito. Madrid: allí, contra Federer, empezó el calvario en 2009; y allí, contra el propio Roger, completa la redención en 2010. «Estoy jugando el mejor tenis de mi vida». Por primera vez alguien conquista Montecarlo, Roma y Madrid el mismo año, por primera vez alguien gana 18 Masters 1000... y por sexta vez llega ese alguien a Roland Garros.

«Para mí fueron diez meses sin ganar un título y muchos torneos volviendo a casa sin una victoria. Muchos momentos, momentos difíciles, porque en varios de esos torneos tuve que retirarme por los problemas físicos. Era un reto personal volver a mi mejor nivel. Y lo he hecho». El tetracampeón avisa, y los rivales tiemblan. «No oirán de mi boca que soy el favorito para Roland Garros». Sin embargo, todos lo escuchan...

Mina y Zeballos caen. «¿Quién puede ganarle aquí? Dos o tres tenistas... pero jugando juntos», exagera el argentino. Hewitt y Bellucci ni siquiera amagan. Almagro y Melzer lo intentan, pero sucumben. Y espera Söderling en la final. Robin, de nuevo. Robin, un año después. Robin, otra vez. Sin embargo, nada es igual...

Cuerpo repuesto, mente fresca. ¿Dudas? ¿Nervios? ¿Ansiedad? ¿Malos recuerdos? Revancha. Nadal ya no encaja; pega. Nadal ya no sufre; vibra. Nadal ya no pierde; gana. 6-4, 6-2 y 6-4. Indiscutible. Su dedo índice apunta de nuevo al cielo de París. El rey vuelve a sentarse en su trono. Pentacampeón. Esta vez sin necesidad de derrotar a Federer, pero arrebatándole por segunda vez su cetro. Número uno del mundo.

Rafa ha vuelto a triunfar en Roland Garros sin ceder un solo set y solo él conoce la magnitud de la gesta: «Pienso que es una de las victorias más importantes de mi carrera. Os lo he dicho cien veces, pero el año pasado fue un año muy difícil para mí y trabajé mucho para estar aquí. Cuando estaba llorando después del partido, pensaba en el título y en todas las horas que trabajé duro para estar aquí otra vez».

Unos días antes, en pleno proceso de reconciliación y reconquista, en el Facebook de Rafa Nadal aparece un chaval melenudo levantando los brazos en señal de victoria en una Philippe Charter desierta. «Esa foto que he puesto en mi perfil es de hace cuatro años, pero hay que recuperar ese espíritu», explica Rafael. El espíritu perdido en 2009, el del niño que desea jugar al tenis y disfrutar con su pasatiempo favorito: competir.

«Me gusta más competir que…». Que ganar. «No entiendo el hacer una cosa y no hacerla al cien por cien. No lo entiendo. Pierde la diversión y el sentido. Si voy a jugar a golf, voy a jugar a golf para hacerlo lo mejor posible y para ganar. Si quedo con mis amigos para jugar al fútbol, me entrego al máximo. No sé hacer algo sin hacerlo al cien por cien. Siempre les digo: "Partido hostil, ¿estamos?"», advierte en su autobiografía. Pasión omnipresente, que padecen sus amigos.

«Compite en todo. A las cartas, a quién tira la hoja más lejos… A lo que sea. Si haciendo eso no fuera competitivo, luego no lo sería en la pista de tenis. No se puede separar. Es un *pack*. Es competitivo, sea en lo que sea», explica Carlos Moyá. Asiente Marc López: «Todo lo que hace es al máximo. Hay gente que juega al golf, por ejemplo, y se pone a tocar el móvil; él no, lo aparca. Si jugamos a la Play, se pica. Juega a las cartas, se pica. Juega al fútbol con los amigos, también. Todo es a muerte. Creo que por eso es tan bueno, porque se exige al máximo en todo y siempre lo consigue».

«Lo que *hagás*, es pura energía. Es tremendo, pero tremendo, tremendo. La energía que tiene para jugar la final de un Grand Slam es la misma que le pone para jugar a la Play Station, para comer un plato de pasta, para salir a caminar, para hablar de autos, para hablar de fútbol... Para mí, un superdotado total», remata David Nalbandian, incapaz de seguir el ritmo al manacorense. «Te juro que Rafa no duerme, ¿eh? Está hasta las dos de la mañana jugando a la Play o haciendo fisio. Al otro día se levanta a las nueve y se va a jugar al golf. Viene al mediodía, va a entrenar y después se va a jugar al fútbol. Yo le puedo seguir el ritmo uno o dos días. Después *terminás* de cama y el *flaco* sigue todos los días igual. No, no, te mata. Te juro que es asombroso».

«En serio, no me gusta dormir mucho. Siento que cuando estoy durmiendo estoy perdiendo el tiempo», reconoce Rafael. El tiempo de competir y ganar. Segovia, agosto de 2003. Durante el Challenger de El Espinar, entre partido y partido, turno para unos juegos de cartas. Toca el siete y medio.

—Carta.

—Un siete.

—Carta.

—¿Estás loco? Plántate.

—Carta.

—Solo te valen las figuras, tío.

—Dame carta que aquí está el medio. Seguro.

«Le dan la carta y ¡pum! Siete y medio. Evidentemente esto es solo una casualidad y puede que de diez veces, le salga una o dos, pero hay que hacerlo. Y Rafa tiene algo especial: cuando ve una cosa clara, la clava». La anécdota está en la memoria de David Marrero, que alucina con la habilidad que tiene Nadal para jugar al golf y al fútbol: «Es un espectáculo. Empezamos a tirar penaltis y el tío las clava con la izquierda, con la derecha, de tacón, con la rodilla... Es un ganador nato».

Tenis, fútbol y golf. Número uno del mundo raqueta en mano, cien goles en una sola temporada con el Manacor infantil y un hándicap minúsculo impropio de un aficionado que apenas se cita con los palos. Póquer o dardos. Cocina o pesca. En todos, competitivo. En todos, superlativo. Sin embargo, nadie es perfecto. «Y yo no soy extraterrestre, te lo aseguro», garantiza.

Abre el fuego Toni Nadal. «Hay bastantes cosas que se le dan mal. No conduce demasiado bien». «Así, a bote pronto, se me ocurre conducir con marchas. No va nada fino», coincide Moyá. El acusado lo reconoce entre risas: «Conduzco así, así... No soy fantástico, la verdad. He tenido algunos pequeños accidentes». Por cierto, la bicicleta y las motos, a distancia. «Soy muy torpe».

Aunque no siempre admite lo que la evidencia demuestra... «Cuando salimos, se motiva y se pega unos bailes increíbles. Se sube a la tarima, empieza a mover los brazos y baila poseído», cuentan sus compañeros de juergas. «Dice que quiere patentar ese baile y todo», continúan. «No, qué va, qué va. Eso son fiestas privadas de Manacor y ahí no entra nadie», rechaza el afectado. «En serio, incluso nos obliga a todos a seguirle como si fuese una coreografía». «Historias. Leyendas urbanas. Yo en Manacor salgo de marcha como uno más y cada uno va a su bola. Yo soy uno más».

Cierta noche, en Porto Cristo, el bar estaba en plena ebullición hasta que una música suave aguó la fiesta. «Todo el mundo estaba bien a las cinco de la madrugada y de repente sonó una canción lenta, lenta, lenta», recuerda uno de sus amigos. Y lanza una sospecha: «Hubo algunos que pensaron que fue Rafa... Bueno, la mayoría».

«Mira...». Pausa valorativa. «La podría haber puesto yo perfectamente, pero en aquel momento, sinceramente, la canción se puso sola». ¿Cómo? «A esas horas muchas veces me pongo de DJ, pero no sé ni cómo funciona el ordenador. Y ese día creo que sonó *Sweet Caroline*, que me encanta y podía haberla puesto yo, pero se puso sola. Lo que yo no supe es arreglarlo». Coartada poco fiable, abucheo unánime y huida desesperada. «El camarero se cabreó y yo salí por patas». Culpable.

Tenista legendario, conductor mediocre. Futbolista goleador, bailarín hilarante. Golfista competitivo, disc-jockey incomprendido. «Pero lo peor, lo peor que yo le he visto hacer es jugar al pádel. Fatal. Todo mal, en serio: los remates los tiraba fuera del club, la volea directamente a la pared... Fue un desastre en todos los aspectos». La radiografía, sin compasión, es de Marc López, su mejor amigo del circuito.

—No puedo creer que seas tan malo. ¿Me estás tomando el pelo?

—Que no, que no. Que nunca he jugado.

—Me da igual. Aunque no hayas jugado nunca, no puedes ser tan malo. Nunca he visto a nadie que juegue al tenis y sea tan malo al pádel. A nadie.

—Déjame, anda. Dame tiempo.

—Pareces un dominguero, tío. La gente que está aquí viéndote tiene que estar flipando.

«No metía una, pero...». Pero Nadal es Nadal. «Está mejorando y no dudes de que acabará jugando bien. Solo hemos jugado esa vez, pero si hay que repetir, le quiero de pareja, sin duda». Cómo no. «Es Rafa. Aprenderá rápido».

Es Rafa, «el competidor definitivo», en palabras de Novak Djokovic. Fabricado en época de Rafael y engrasado en la era de Nadal. Capaz de superar lesiones de rodilla y arañazos del alma. Tendinitis crónica y separaciones conyugales. Hace un año penaba con una máquina atada a la rodilla día y noche; hoy vuelve a acariciar su copa, aunque digan que es de los mosqueteros. Han pasado 371 días entre desgracias y dudas, decepciones y lágrimas. Pero hasta ellas han cambiado; ahora son «lágrimas de alivio y de alegría».

Nadal ya tiene cinco trofeos de Roland Garros y siete coronas de Grand Slam. «Ha sido un año difícil y he tenido dudas, así que esto es una gran satisfacción personal. Por mi familia, por mi equipo, por mí mismo y por todos esos que me han apoyado y me han ayudado a volver». A volver a competir. Como siempre. Para siempre. Con la eterna advertencia de Rafael: «Partido hostil. ¿Estamos?».

Lo ganó el 6 de junio de 2010, pero todo empezó mucho antes...

Sus padres consensuaron que era lo justo. El esfuerzo que Rafael había realizado para compaginar su pasión por la raqueta con el deber de los estudios hasta completar la formación secundaria, bien valía una recompensa. Esta vez el premio no era un trofeo, pero lo celebraba como tal: un viaje con su familia a París para visitar Eurodisney. El sueño de cualquier adolescente. Mucho más para aquel niño con la inocencia de los demás, pero con un arraigo especial hacia los de su misma sangre.

Después de completar la Enseñanza Secundaria Obligatoria (ESO) y antes de que sus padres tuviesen tiempo de programar la estancia en la tierra de Mickey Mouse, a Nadal aún le quedaba algo por hacer. El año no había sido prolífico y su contacto con los torneos profesionales, algo más escaso de lo que cualquier jugador que aspire a construir una carrera con la raqueta podría presentar. Había llegado al verano de 2002 con solo 15 puntos sumados en el primer semestre y el Top 600 como techo en el ránking ATP.

Era el mes de julio y la maleta a París podía esperar

aún algunos días más. Rafael había vuelto a Mallorca después de su primera experiencia en Londres para disputar la edición junior de Wimbledon. Una reunión familiar, entre Toni Nadal y su padre, convino que el niño podría marchar a Alicante para jugar su primer torneo de categoría Futures del año. Esta vez no viajó, como casi siempre suele hacerlo, con su tío.

En el Club de Campo de Alicante le esperaba uno de los entrenadores de la Escuela Balear del Deporte, Toni Colom. Rafael tomó un avión desde el aeropuerto de Palma para incorporarse a la expedición de talentos de las islas que ya estaban preparados para encarar una de las pruebas del prestigioso Circuito Orysol. Recién llegado de la hierba inglesa, apenas había dispuesto de tiempo suficiente para adaptarse a otra superficie, aunque fuese sobre la que mejor se desenvolvía: la tierra batida.

A pesar de que contaba con ránking suficiente para entrar directo en el cuadro final, su tío, su padre y el propio entrenador circunstancial coincidieron en sus pronósticos: el pequeño Nadal no tardaría demasiado en regresar a Mallorca para partir rumbo a París. Nunca había ganado un partido en un torneo de esta categoría y la presencia de jugadores contrastados, con mucha más experiencia en este tipo de eventos, como Óscar Hernández, Gabriel Trujillo o Santiago Ventura, hacía pensar a todos que en unos días Rafael estaría reunido de nuevo con su familia. Todos estaban convencidos... menos el propio Nadal.

Como siempre que salía lejos de casa, las conversaciones telefónicas entre Manacor y Alicante eran constantes. Sin apenas tiempo a acomodarse sobre la arcilla alicantina desde su llegada, Rafael ya conocía el cuadro que tendría que afrontar en Alicante. Sebastián Nadal llamó a Toni Colom para planificar, al fin, la merecida visita a la capital francesa.

—Oye, ¿qué tal todo por Alicante?

—Muy bien. Ya he visto el cuadro con Rafael esta mañana.

—¿Y qué tal? ¿Cómo lo ves?

—Es muy duro. Hay jugadores de mucho nivel.

—¿Crees que mi hijo estará aquí antes del miércoles para salir hacia París o le saco un billete directamente desde Alicante?

—Lo normal es que pueda salir con vosotros desde Mallorca.

—Perfecto.

—Pero solo veo un problema.

—¿Un problema? ¿De qué se trata?

—Rafa me ha dicho: «Colombo, veo posibilidades de ganar este torneo».

Un silencio interrumpió la conversación. «Empezamos con la broma de que lo veía posible porque era un niño. La verdad es que era algo prácticamente imposible». La confianza y la seguridad de un adolescente dispuesto a conquistar el mundo era capaz de generar dudas en la propia conciencia de un adulto, pero lo achacaron todo al universo de los deseos de un alma pueril e insaciable. Toni Colom colgó el teléfono convencido de que su pupilo no le acompañaría durante mucho tiempo. Era lo normal, pero Rafael fue imponiendo su verdad, convenciendo a los incrédulos y retrasando la fecha de salida a París.

En la primera ronda estrenó su casillero de victorias en los torneos del circuito Futures —curiosamente ya había ganado un partido en un Challenger e incluso en un ATP— ante un rival procedente de la previa, José Checa. Pero el siguiente cruce era frente a uno de aquellos jugadores que podía enviarle de vuelta a Mallorca: Santiago Ventura, tercer favorito. «Me pegó una tunda. Yo estaba en esa época Top 300 y recuerdo que iba de cabeza de serie. Además entrenaba en el Club Atlético

Montemar de Alicante y el torneo era en casa, pero no tuve ninguna oportunidad».

Ya en la red, Ventura solo acertó a pronunciar una última sentencia: «Vaya paliza me has pegado». El castellonense tampoco pudo impedir que Nadal permaneciera, al menos, un día más en Alicante. «Es cierto que yo era un poco especial: tenía tanta facilidad para completar partidos buenos como muy malos, y en ese no me sentí muy cómodo. Pero también es verdad que no tuve opción alguna. Pensaba que ir de cabeza de serie y ser bastante mayor que él podía ayudarme un poco, pero me ganó fácil».

Con un sorprendente 6-3 y 6-2, Rafael continuó alimentando su fantasía. La que solo él creía posible. «Nadal se animaba mucho. Me chocó un poco ver cómo alguien tan joven me estaba dando una paliza. Solo pensaba: "Me cago en la puta, Santi, tienes que ganar. Ponte las pilas que no te puede ganar un niño". Ni por muchas pilas, no hubo manera».

Ni Gabriel Trujillo en cuartos de final, ni el primer cabeza de serie del torneo, Óscar Hernández, pudieron arrebatarle un solo set. Nadal se había plantado en la final en el segundo evento de este nivel que jugaba en su vida. Ya en la última ronda le esperaba Marc Fornell, un jugador al que conocía y que incluso ya había ganado algún trofeo durante ese curso. «Rafa ganó también aquel quinto partido y tardó más tiempo en coger el avión para marcharse a Eurodisney. No lo hizo hasta el lunes. Merecidamente, decidió no disputar el siguiente Futures en Elche para disfrutar de las vacaciones familiares en París», remata Colom. Por fin.

Nadal ya disfrutaba del primer trofeo Futures en su vitrina, pero a Rafael aún le faltaba hacer lo mismo con la vieja promesa con destino en París. El resto de la familia ya le esperaba para emprender el primero de tantos viajes a la ciudad custodiada por la Torre Eiffel. Descubrió *La cueva de los Piratas, La lanzadera al espacio, La tierra de Indiana Jones* o *El mundo de los niños.* Quedó enamorado para siempre.

«Me gusta la ciudad. De hecho, me encanta. Hay pocas ciudades en el mundo que me encanten y esta es una de ellas. Me siento a gusto aquí. No olvides que he pasado mucho tiempo en París, y me siento cómodo. Me gusta. No tengo tiempo para venir de vacaciones durante la temporada, pero lo hice en el pasado con mi familia. Vine como hace diez años y desde ese momento siempre he amado este lugar», confesaba una década más tarde.

El 7 de junio de 2010, Rafael regresaba al santuario de sus sueños infantiles. A los pies del castillo de la Bella Durmiente levantaba la quinta parte de un imperio construido en París. Su quinta Copa de los Mosqueteros en Roland Garros. «He venido a Disneyland cien veces... (*risas*). Bueno, no cien, pero sí muchas veces. Me encanta el espíritu de Disney y me encantan los niños». Aquella tarde de julio, en 2002, solo fue la primera de una visita obligada por siempre jamás.

Capítulo VIII

WIMBLEDON 2010
El grito solitario de una tarde lluviosa

«¿Cuántos jugadores irían a entrenar al día siguiente de ganar un Grand Slam? Los que realmente aspiran a ganar. Los que ven más allá. Aquellos cuya ambición no se termina ahí.»

RAFAEL NADAL

*R*afa Nadal acaba de ganar su quinto Roland Garros.

—Ganar aquí y ganar los últimos veintidós partidos en tierra es siempre una gran preparación para la hierba, así que mañana por la tarde estaré entrenando en Queen's. No mucho tiempo, unos cuarenta y cinco minutos.

—¿Lo celebrarás esta noche? ¿Cuáles son tus planes?

—Difícil tener una gran celebración si tengo que entrenar mañana...

Risas.

—¿Nada de fiesta?

—Tendré tiempo, ¿eh? Este verano, en casa, después de Wimbledon. Mallorca es un sitio increíble para celebrar.

Más risas. Sonríe Rafael, alucina su audiencia. La sala de prensa de Roland Garros contempla, por quinta vez, a Rafa Nadal acompañado por la Copa de los Mosqueteros. Retoman su idilio, tras darse un tiempo en 2009. Son dos amantes condenados a quererse hasta la eternidad.

Se aprecia alegría, cómo no, pero también se atisba inconformismo. Ambición. Han pasado casi dos años desde que tomó posesión de la corona de Roger Federer en Wimbledon... y ni siquiera pudo defender su reinado. Abdicó, por voluntad impropia. El trono espera de nuevo y la alfombra verde exige sacrificios.

«Reserva pista. Voy directo desde el tren». Francis Roig recibe una orden concisa. Tan significativa como esperada. «Yo siempre he ido con él a Queen's después de Roland Garros. Piensa que él llega reventado, porque Rafa pasa mucha tensión en París. Mucha. Llega reventado, pero hace las fotos, coge el tren y enseguida quiere entrenar».

«Para que veáis lo competitivo que llega a ser, esa tarde ya está en Queen's peloteando. Cada año», confirma Feliciano López, verdugo del manacorense en esa edición del torneo previo al tercer Grand Slam de la temporada. «Pero el tío no entrena aquello que dices: "Voy a soltar músculos". No, se pega un buen entreno y ya le pega a la bola a tope, con una intensidad brutal», sentencia Francis.

El Eurostar, el tren de alta velocidad que une París y Londres, necesita poco más de dos horas para convertir la tierra en hierba. Alquímico. Nadal ni siquiera pasa por el hotel a dejar el equipaje. Maletas incluidas, se presenta en The Queen's Club, en pleno West Kensington. «Aún tengo el virus de la tierra y hay que vacunarse», bromea, consciente de que hay mucha verdad en su chanza.

No hay cambio de superficie tan exigente en el tenis como el salto de la arcilla al césped. Cambia la movilidad, se alteran los apoyos. «No estamos acostumbrados a jugar en hierba. Solo son tres semanas al año y al principio parecemos patos mareados», concuerdan los tenistas. Menos altura de bote, menos tiempo de reacción. Pasos cortos y nada de resbalar. «Los primeros días te duele mucho el culo, de tener que bajarlo tanto». Flexión tras flexión, con las rodillas aullando. «Es el cambio más complicado con diferencia y el más agresivo para el cuerpo. Pasas del cielo a la tierra». O de la tierra a la hierba.

«Rafa se adapta a cualquier circunstancia, a todo. Primero se acostumbra a la hierba y poco a poco va imponiendo su juego, porque él también lifta un poco en hierba. Y cualquiera hubiera dicho que nadie sería capaz de jugar en hierba y liftar, pero él lo acaba haciendo». Roig ya espera en Queen's, mientras ensalza la capacidad de adaptación de su pupilo.

«Es otra demostración de que él está por encima de la hierba, prácticamente. Hace golpes que tú pensarías que no sirven para hierba, y él es capaz de hacerlos. Al final es esa aceleración brutal que tiene la que hace que ni superficie, ni bolas ni nada. Él se sobrepone a todo». Y para sobreponerse, solo hay una receta: trabajar, entrenar y aprovechar cada minuto a pie de césped.

Un club privado admite privilegios. «A las seis de la tarde cierran las pistas de Queen's. Son estrictos en eso por el tratamiento de la hierba. Da igual que haya luz, no se entrena. Pero a Nadal le abren una pista a las seis, a las siete o a la hora que llegue de París, para poder pisar la hierba. Aunque esté lloviendo...», explica Feliciano.

Pero las nubes no entienden de excepciones. «Ese año llegamos a las 17.30, pero llovió y no pudimos entrenar de primeras». Francis le da la mala nueva y se refugian en el vestuario. Novak Djokovic, Andy Murray, Andy Roddick, Marin Cilic, Gael Monfils o Sam Querrey están entre los inscritos al torneo.

«Estábamos en el vestuario y siempre se forman piñas viendo los partidos en la televisión». Para amenizar la espera, se encienden las pantallas. El programador ha acertado. Partidazo digno de palomitas y suspiros: la final de Wimbledon 2008 entre Rafa Nadal y Roger Federer.

«Ha sido de los partidos más comentados entre nosotros, obviamente, por la importancia que tuvo que Rafa destronara a Federer en su territorio y por las circunstancias que se dieron en la final. Hubo de todo, todos los ingredientes que necesita un partido para ser épico». Feli, como el resto de los presentes, observa sin pestañear. Cada segundo del duelo merece, exige, atención plena.

La memoria de Nadal viaja al All England Lawn Tennis and Croquet Club, a la tarde más memorable que el tenis vio jamás. «Lo más chocante es que lo estás viendo y se acuerda de todos los puntos: "Ahora pasará esto", "Ahora aquí, lo otro", "Ahora derecha ganadora". Él se acuerda de todos los puntos en cada momento, y eso es porque los vive con tanta focalización, los vive tan intensamente, que los tiene todos en la cabeza». Roig escucha obnubilado.

De repente, un grito rasga la escena: «¡Vamos! ¡Salgamos a entrenar!». Sobresalto general. Nadie se ha dado cuenta de que la lluvia se ha transformado en chispeo… salvo él. Salvo Rafael. El niño que soñaba con ganar Wimbledon no se conforma con verse a sí mismo haciéndolo. No mira al pasado, piensa en el futuro. Quiere más. Quiere repetir. «No había que perder ni un segundo. Después de casi dos años quería volver a sentir lo que era jugar sobre hierba», explica en *Rafa, mi historia*.

«Estaba chispeando, pero no le importó. Como cada año hace cuando llega a Queen's, pide que le abran la pista para entrenar durante media hora a pesar del tiempo». Varios entrenamientos después, tres partidos después, Feliciano López le eliminaría en cuartos de final, pero el número uno del mundo estaba curado. Empezó a buscarlo en una tarde lluviosa y ya había encontrado el antídoto para el virus de la tierra.

Unos días de descanso y desconexión en Manacor y regreso a Londres. Aguarda Wimbledon, con un cuadro maligno, digno de «susto o muerte». «Con este cuadro el torneo va a ser una lotería para nosotros», teme Toni Nadal. Pero el sorteo tiene trampa: el número que juegan él y su pupilo es un número ganador. «Me encuentro perfecto, jugando bien», firma Rafa tras tumbar a Kei Nishikori en primera ronda.

Vendrán los problemas, cómo no, en el grande de los grandes, en forma de molestias físicas (codo, cuádriceps y las omnipresentes rodillas) y de saques mortíferos de Robin Haase y Philipp Petzschner. Ambos mandan dos sets a uno y ambos acaban inclinándose en el quinto parcial. Sustos superados. Al límite, en el alambre, con la derrota acechando… Territorio Nadal.

Contra Paul-Henri Mathieu se evaporan las dudas; contra Robin Soderling, los espectros del pasado. Atrás quedaron las discusiones londinenses de 2007 y la derrota parisina de 2009; la final de Roland Garros y los cuartos de final de Wimbledon, con sendos triunfos contundentes, bien valen el olvido.

Cae Federer («el pobre tiene derecho a perder, es humano, aunque no lo haya parecido en el pasado», comprende Rafael), y espera Murray. Andy, y las ilusiones de toda Britania. Andy y setenta y cuatro años de sequía en su torneo. Miles de británicos sueñan, miles de gargantas vibran, y un solo español les silencia en apenas 142 minutos. El punto decisivo, con bola de set para el escocés en el tie-break del segundo set, termina con Nadal voleando en la red, el hogar de los valientes.

«Todo cambia en un solo punto. Para ganar estos partidos siempre se necesita jugar bien y la parte men-

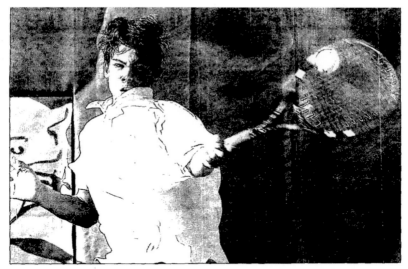

Rafael Nadal golpea de derecha durante su enfrentamiento con el australiano Pat Cash. ▌ Fotos: PERE BOTA

Rafael Nadal le saca los colores al ganador de Wimbledon 87

El mallorquín gana a Cash y salva el torneo tras el abandono de Becker

Amador Pons

Rafael Nadal sonrojó ayer a Pat Cash. La enfermedad de Boris Becker dejó a la organización en una difícil tesitura, que solventaron incluyendo al mallorquín en el programa. El tenista *manacorí* se impuso al campeón del Wimbledon 87 (7-5, 2-6 y 12-10) y salvó la tercera edición del Mallorca Grand Champions.

La edición extraordinaria del Mallorca Grand Champions parecía gafada. El primer día de torneo la lluvia impidió cumplir el programa y obligó a cambiar el sistema: de competición a exhibición. El sábado la gran estrella, Boris Becker, sufría una infección intestinal que le impedía acabar el encuentro ante Hlasek y jugar ayer ante Cash.

Pat Cash ejecuta un revés durante el encuentro de ayer en Santa Ponça.

En mayo se

disfrutar del mejor espectáculo de la semana.

A Rafael Nadal no le

Nadal y su juego agresivo pudieron a la experiencia del australiano.

PRIMERA VICTORIA ANTE UN CAMPEÓN DEL GRAND SLAM
Última Hora. Amador Pons. 1 de octubre de 2001, página 48.

TENIS ● ATP EN PALMANOVA

Primer gran triunfo de Nadal

El mallorquín vence al paraguayo Delgado por un doble 6 a 4 en la primera ronda del Mallorca Open

JUAN AMADOR. *Palma.*

Rafael Nadal venció ayer por un doble 6 a 4 a Ramón Delgado. El primer triunfo del tenista mallorquín en uno de los grandes de la ATP sirvió para que, familiares y amigos, disfrutaran con el buen tenis que a sus 15 años mostró ante un fijo de los cuadros grandes, el paraguayo, Ramón Delgado. Entre sus seguidores, todo un número uno, Carlos Moyá, junto a sus entrenadores y amigos.

Con el marcador señalando un 0 a 2 para el paraguayo todo parecía normal. Pero cuando minutos después se convirtió en un 5 a 2 las caras de los aficionados reflejaban lo que no se decía con palabras. Estaba dando la sorpresa pero no sólo por el resultado sino por el juego. Su derecha, su abertura de pista y sobre todo su valentía pegando no daba lugar a dudas. Se podía ganar.

Tras perder el servicio en el octavo juego los corazones de los aficionados, amigos y conocidos volvía a aumentar el ritmo. Pero Nadal ganó su servicio y el 'break' que llevaba le sirvió para hacerse con el primer set: 6 a 4.

Su tío y entrenador, Toni Nadal, lo resumía así: "Al principio estaba tranquilo, pero cuando he visto que podría ganar sí que me he puesto nervioso".

El segundo set comenzó igualado. Rompía el servicio a Delgado en el tercer juego pero perdía esa ventaja en el sexto. Pero de nuevo conseguía otra victoria sobre servicio de su contrario y llegó a disputar el juego decisivo, el que le daría el set y el partido ganándolo en blanco. Al final, el doble 6 a 4 le daba su primer gran triunfo y la posibilidad de sumar varios puntos ATP.

En la jornada de ayer del Mallorca Open se dio un resultado sorpresa. El número tres del torneo, Schalken, perdía ante Rochus, que será el contrario del mallorquín en la siguiente ronda y que en palabras de Carlos Moyá "puede conseguir la victoria".

En el partido que servía para terminar la jornada, Kuerten, que hacía pareja con su compatriota Sa vencía por 6/3, 4/6 y 10 a 4 (en dobles se estrena nueva puntuación; el tercer set es un 'tie break' a 10 juegos) a Haggard y Vanhoudt.

Rafael Nadal, en un momento de su partido de ayer ante el paraguayo Delgado. FOTOS: B. RAMON

NADAL: "ME ES IGUAL CON QUIÉN JUEGUE"

La primera rueda de prensa – la ATP obliga a ello– de Rafael Nadal se convirtió en felicitaciones. Sus 15 años le sirven para decir lo que piensa sin necesidad de quedar bien: "Aunque no he sacado fuerte porque me dolía el hombro prefería jugar con el servicio ya que así comenzaba el juego con mi derecha". Su primera victoria en uno de los grandes no la valora como especial: "Me ha gustado ganar pero también me alegré cuando gané otros torneos". Y sobre su próximo contrario, Rochus, manifestó que no le conoce de nada. Me es igual con quién juegue"

Moyá junto a Nadal, el presente y futuro del tenis mallorquín.

Raquetazos

Carlos Moyá, un entrenador de lujo para Rafael Nadal

Rafael Nadal tiene oficialmente como entrenador a Jofre Porta y le sigue y dirige su tío Toni Nadal pero ayer, en la pista central, Carlos Moyá, junto a toda la peña se convirtió en un entrenador más del joven tenista manacorí aplaudiéndole en cada uno de los golpes y disfrutando con el espíritu ganador de un joven de quince años que le sigue y le aprecia e incluso entrena con él.

Moyá: "Jugar en tierra es muy pesado"

Carlos Moyá estuvo ayer en Nova Esport como un aficionado más. Saludó a compañeros y firmó autógrafos. Sobre su lesión manifestó que "estoy bien. Me estoy recuperando. Estaré en Palma hasta el viernes". Sobre la temporada de tierra que ahora es decisiva comentó que "jugar en tierra es muy pesado. En Montecarlo jugué demasiadas horas y eso pasa factura".

El conseller Mesquida, un aficionado más

Mucho le tiene que agradecer el Mallorca Open al conseller Joan Mesquida. Su afición al tenis ha servido para desnivelar la balanza y convencer al conseller de Turismo para que ponga dinero. Ayer, como un aficionado más, disfrutó y comentó el buen tenis que desarrolló el joven mallorquín y posteriormente buscó sitio de a pie para ver a Kuerten.

C U A D R O   F I N A L

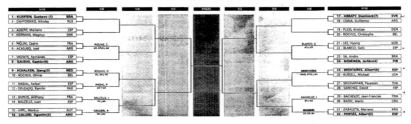

PRIMERA VICTORIA ANTE UN TOP 100

Diario de Mallorca. Juan Amador. 30 de abril de 2002, página 53.

Explosión Nadal

EL TENISTA, DE 16 AÑOS, ELIMINA A ALBERT COSTA, VIGENTE CAMPEÓN DE ROLAND GARROS, Y SE METE EN OCTAVOS DE MONTECARLO ● SE IMPUSO POR 7-5 Y 6-3, EN SU TERCER DUELO CON LOS MAYORES

JAVIER MARTÍNEZ

La segunda presa de Rafael Nadal en el Abierto de Montecarlo fue todo un campeón de Roland Garros. Albert Costa sucumbió al empuje irresistible de este chaval de 16 años que ha entrado como un ciclón en su primer Masters Series. Ni la pérdida de su servicio en el juego inicial ni marchar a rebufo en el primer set le impidieron terminar imponiéndose por 7-5 y 6-3 en un partido que se fue bien entradas las nueve de la noche, con luz artificial.

El zurdo mallorquín ya figura en exclusiva como el más precoz en alcanzar los octavos de final de un torneo de semejante categoría, dado que Richard Gasquet, 15 días más joven que él y con quien compartía el privilegio de superar el primer partido, cayó el pasado año a la segunda en idéntico escenario. Su próximo rival será Guillermo Coria, un argentino de 21 años que figura 13° en la Carrera de Campeones y ayer se deshizo del estadounidense James Blake.

Hasta el pasado lunes, Nadal sólo había ganado un partido de la ATP, el pasado año en la primera ronda del Abierto de Palma, una competición sensiblemente inferior a la que ahora disputa. Entonces venció al paraguayo Ramón Delgado por un doble 6-4 y se convirtió en el noveno jugador de la era Open (1968) en superar un partido senior antes de cumplir los 16 años.

Su irrupción en Montecarlo ha sido espectacular, después de liquidar al eslovaco Karol Kucera por 6-1 y 6-2 en la primera ronda. Ayer, con un 70% de efectividad en su primer servicio, Nadal impuso su mejores registros ante un tenista que el 25 de junio cumplirá 28 años. Nadal mostró una enorme fortaleza cuando Costa logró pasar del 1-4 al 3-4, rompiéndole el servicio en el segundo set. Lejos de bajar los brazos, recuperó de inmediato el saque para poner la directa hacia el triunfo.

«Posee unas cualidades excepcionales, puede estar entre los 10 primeros en un par de años. Nunca he visto a un jugador de su edad a ese nivel. Es mejor de lo que éramos Corretja, Costa o yo mismo», comentó Carlos Moyà, también mallorquín.

Con tan sólo cuatro meses metido de lleno en la ATP, Nadal ya ha ganado este año un *challenger* en Barletta y ha sido semifinalista en otros cuatro.

El triunfo de ayer le sitúa como el tenista más joven que se mete entre los 100 primeros del mundo desde que lo consiguió Michael Chang, con 16 años y tres meses, el 6 de junio de 1988, al colarse en la tercera ronda de Roland Garros.

Con Nadal serán seis los españoles en los octavos de final, después de una jornada en la que las únicas derrotas de nuestros tenistas llegaron en enfrentamientos entre ellos, a excepción de Albert Portas, que cayó ante el croata Ivan Ljubicic (6-4 y 6-3). Así, Fe-

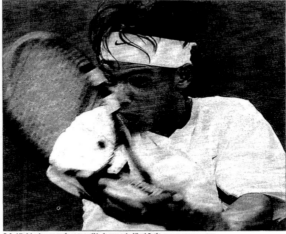

Rafael Nadal golpea un revés en su partido de ayer ante Albert Costa. / LIONEL CIRONNEAU / EFE

Así está el cuadro de Montecarlo

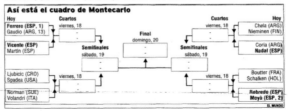

Se lo advirtió Ferrero, aunque él ya era consciente de que la cosa era complicada. «Entrené con Juan Carlos por la mañana y me dijo que no iba a ser fácil vencer a Costa», comentó Rafael Nadal tras su grandísima victoria. «Me siento muy orgulloso de lo que he hecho, sabía que necesitaba jugar muy bien y que él no lo hiciera. Para

«No creí que todo iría tan deprisa»

ser sinceros, de partida apenas me concedía a mí mismo posibilidades». Nadal admitió que en los comienzos estuvo algo cohibido. «Sí, me pudo el respeto, le tenía un poco de miedo». Sobre su porvenir en

el torneo, mantiene el discurso exhibido tras su triunfo en la primera ronda. «Debo ser realista, no pienso en la victoria final. Ahora sé que estoy entre los cien primeros y al comienzo de la temporada ni

mucho menos contaba con que las cosas iban a ir tan deprisa». El jugador de Manacor tampoco entró con detalle en su enfrentamiento de hoy ante Guillermo Coria, otro rival nuevo para él. «Sólo espero completar un buen partido y a ver qué pasa», concluyó el chaval, aún algo arrebolado por la magnitud del triunfo.

rrero se impuso a Mantilla por 3-6, 6-2 y 7-5 en un durísimo partido, y Fernando Vicente hizo lo propio con Feliciano López por 7-6 (6) y 6-1. También vencieron Carlos Moyà, Alberto Martín y Tommy Robredo, lo que permite confeccionar una tercera ronda

que arroja nuevamente choques entre españoles.

La segunda ronda se llevó siete cabezas de serie y tres campeones de Roland Garros, Costa, Kafelnikov y Kuerten, triple vencedor en París. El brasileño dominaba por 6-1 y 5-2

antes de caer frente al sueco Magnus Norman –que se añadió ayer a la lista del Conde de Godó– por 1-6, 7-5 y 6-2. «Me va a costar mucho olvidar esta derrota», admitió.

Resultados en página 37.

TRIUNFO ANTE ALBERT COSTA, CAMPEÓN DE ROLAND GARROS
El Mundo. Javier Martínez. 17 de abril de 2003, página 36.

⊕ El manacorí, de 16 años, batió a su principal referencia profesional, nº4 ATP, en dieciseisavos de Hamburgo

Nuevo golpe de efecto de Nadal, verdugo de Moyà

Ángel Rigueira BARCELONA

Roland Garros concedió una invitación a Rafa Nadal para el cuadro grande de este Grand Slam, un gesto poco habitual del torneo francés hacia el tenis español. En ediciones anteriores se la había concedido únicamente al doble campeón de París Sergi Bruguera. Al morbo de inscribirlo en la misma competición que a su 'niño-prodigio' local, Richard Gasquet, se añadía el atractivo de que el manacorí, de 16 años, es una auténtica sensación a nivel mundial.

Ayer dio una nueva muestra de su potencial. En el Masters Series ATP sobre tierra de Hamburgo, uno de los nueve principales tras los Grand Slam, tumbó a un número cuatro del mundo, a un ex rey del circuito que esta temporada había recuperado sus mejores sensaciones. Nadal pudo con su referencia en el campo profesional, con su paisano Carlos Moyá. Le batió 7-5, 6-4, en una hora y 20 minutos.

Si en Montecarlo se había deshecho de Albert Costa, procedente de la fase previa, en la ciudad alemana ha repetido sorpresa asimismo viniendo de la 'qualy'. En el puesto 87 del ránking mundial, continuará escalando plazas con una velocidad que muchos expertos consideran le dirige esta misma temporada al 'top ten'.

Tras eliminar al campeón del

Único español en liza tras perder Costa, Mantilla, Robredo, 'Feli' y Sánchez, jugará contra Gaudio

Godó, Nadal se las verá hoy con otro de los hombres fuertes esta campaña en tierra batida, el argentino Gastón Gaudio. Intentará alcanzar su primera ronda de cuartos en un ATP.

En él ha recaído la representación española en la competición, ya que la jornada de ayer supuso el adiós de Costa, cuya condición de Roland Garros parece provocarle cierta ansiedad y que, por contra, anima a los adversarios. Además, padeció problemas físicos en el tobillo derecho, que se hizo vendar durante la tercera manga. También se despidió Fèlix Mantilla, que no mantuvo la concentración de Roma frente al siempre peligroso chileno González, que arrasa cuando sus tiros ganadores encuentran las líneas. Robredo, 'Feli' y Sánchez tampoco superaron ronda.

Resultados (1/16 de final): Nadal a Moyà, 7-5, 6-4; O. Rochus a Costa, 3-6, 6-3, 7-6 (3); González a Mantilla, 6-2, 6-1; Gaudio a D. Sánchez, 6-7 (8), 6-3, 6-1; Zabaleta a Robredo, 3-6, 6-3, 6-1; Ferreira a F. López, 6-1, 6-2; Hewitt a Clément, 6-7 (7), 6-4, 7-6 (6); Schuettler a Burgsmuller, 6-4, 4-6, 6-4; Nalbandian a Dupuis, 5-7, 6-2, 6-3; Calleri a Roddick, 3-6, 6-2, 6-3; Kuerten a Davydenko, 7-5, 6-0; Youzhny a Beck, 6-7 (7), 6-4, 6-2; Coria a Nieminen, 6-3, 6-4; Philippoussis a Malisse, 6-3, 7-6 (5); Federer a Sargsian, 6-1, 6-1; Henman a Grosjean, 6-0, 3-6, 6-2 ●

Rafa Nadal logró una nueva victoria de prestigio, a costa del también mallorquín Moyà FOTO: MD

El equipo español celebra el triunfo: Nadal, en el centro, con Arrese, Feliciano, Robredo, Perlas y el resto de la expedición · EFE

Todo el equipo estaba seguro de que, si se llegaba al 2-2, en el punto decisivo ganaría Nadal. Parece increíble, pero los capitanes y los jugadores más «veteranos» tenían una fe ciega en un crío de 17 años. Y es que el chaval se los ha metido en el bolsillo por su categoría humana y profesional

«Feli, tú empata, que de ganar la eliminatoria ya me encargo yo»

TEXTO **DOMINGO PÉREZ**

BRNO. Feliciano López acababa de asegurar el empate y en la zona de Prensa improvisaba una charla con los periodistas; mientras, Rafael Nadal calentaba minutos antes de que comenzará su partido decisivo ante Radek Stepanek. El toledano estaba feliz. Explicaba sus sensaciones al conocer la baja de Novak. Cómo le había ido el partido con Berdych. La satisfacción por su gran trabajo con el servicio... Entonces le preguntaron: «¿Qué crees que hará Nadal?». No lo dudó: «Estoy seguro de que gana». Y es que el chavalín ha engatusado a todos en esta concentración. Pero es que hace unos días, el mismo Jordi Arrese vaticinaba: «Si llegamos 2-2 al domingo, ganamos seguro». Y en la misma línea se pronunciaron los otros dos capitanes, Avendaño y Perlas.

Llegaron a Brno hace una semana y desde los primeros entrenamientos Nadal descompuso los planes. Ganó a todos en las prácticas y el martes los capitanes ya tenían decidido que él abriría la eliminatoria y también la cerraría

papel relevante que él asumía con una naturalidad increíble, pero al mismo tiempo aceptando fuera de la pista su rol de novato. Robredo y Feli se han divertido con él como si hubiera sido su hermano pequeño.

Ha aportado a la concentración una ilusión contagiosa, casi infantil, una confianza sin límites no sólo en sus posibilidades, sino en las de todo el colectivo. Ha hecho equipo como nadie y ha arrastrado a todos. Una anécdota ilustra esta situación. La explicaba Feli: «Estaba en el vestuario cuando ha llegado Arrese a toda pastilla gritando: "Hay novedades. Novak no juega". Entonces ha empezado a explicarme que

> «Se lo dedico a Moyá y a Ferrero; no han podido disputar la eliminatoria y les hemos allanado un poco el camino para las

no debíamos cambiar el esquema de juego previsto. Que saliera contra Berdych a hacer los mismo... En fin, ahí me he quedado preparando el partido y, cuando estaba listo para salir, se ha acercado Rafa y me ha dicho, muy serio: "Feli, tú empata que de ganar la eliminatoria me encargo yo. Me ha dejado de piedra tanta confianza".

Recuerdo a los ausentes
Sorprende tanto descaro en un muchacho tan joven, y casi más que los mayores no se lo tengan en cuenta. Pero Feliciano, como el resto, lo tiene claro: «No nos puede molestar porque él es así. Es muy espontáneo. Siempre dice lo que

> «Después de horas de trabajo la recompensa llega. Los dos primeros días no llegó a pesar de la lucha. Pero cuando se

DECISIVO EN SU DEBUT EN COPA DAVIS
Abc. Domingo Pérez. 9 de febrero de 2004, página 81.

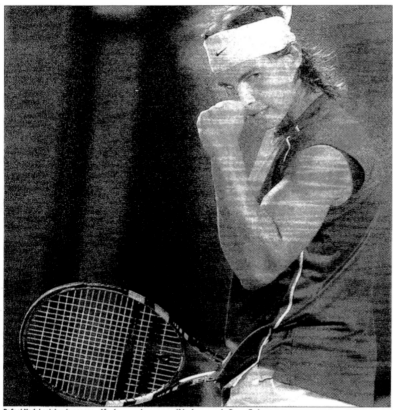

Rafael Nadal celebra la consecución de un punto en su partido de ayer ante Roger Federer. / WILFREDO LEE / AP

¡Stop, Mr. Federer!

NADAL ENTRA EN OCTAVOS DE CAYO VIZCAINO TRAS VENCER AL NUMERO UNO DEL MUNDO ● EL SUIZO HABIA GANADO 28 DE SUS ULTIMOS 29 PARTIDOS

JAVIER MARTÍNEZ

De sopetón: 6-3 y 6-3 al número uno del mundo en la tercera ronda de Cayo Vizcaíno. Hablamos de Rafael Nadal, el chavalote hercúleo de la imagen, aún menor de edad (hasta el 3 de junio). Un auténtico *delito* el cometido ante Roger Federer, tenista casi inmaculado en los últimos meses.

Nadal: «Estoy muy feliz porque he jugado uno de los mejores parti-

uno del mundo, ganador en Dubai y en Indian Wells. ¿Quién da más?

Eran, además, 12 triunfos consecutivos desde que Henman *tomó las armas* para detenerlo. Las del mallorquín fueron las mismas utilizadas por el de Oxford: saque y volea, por la brava, que no es su estilo. Nadal es un *all courts player*, el modelo imperante en el circuito, jugador con pegada, todoterreno, buen saque, porte muy atlético y no

semana, lo ganó Federer, como ya ha quedado dicho. Nadal circula por la zona más transitable del cuadro, un área aligerado tras la eliminación de Hewitt y, obviamente, gracias a su triunfo sobre el principal favorito.

Por abajo viajan Agassi, tres veces campeón, y otros dos españoles, Moyà, cuyo partido se disputó la pasada madrugada, y Robredo, ya en octavos tras derrotar al checo Jan Henrych. Si Nadal, 32° favori-

PRIMERA VICTORIA ANTE ROGER FEDERER, NÚMERO 1 DEL MUNDO
El Mundo. Javier Martínez. 30 de marzo de 2004, página 44.

Rafael Nadal se abraza a Jordi Arrese tras su gran victoria sobre Roddick. / ASSOCIATED PRESS

Nace una estrella

España acaricia la **Davis** tras un épico triunfo de **Nadal**, de 18 años, ante el bombardero **Roddick** y la sencilla victoria de **Moyà**

SANTIAGO SEGUROLA, **Sevilla**
Fue uno de esos momentos que determinan el nacimiento de una estrella. Se daban todas las condiciones. La juventud de un chico de 18 años; la trascendencia del momento, nada menos que la final de la Copa Davis; el prestigio de su rival, Andy Roddick, el bombardero estadounidense; la necesidad de encontrar a un héroe que conecte con la gente; el hilo que transporta con la gente desde Santana a todos sus herederos. Todo eso se manifestó en la figura de Rafael Nadal, convertido en ídolo nacional después de tres horas de aventura y gran juego. Ganó a Roddick en cuatro *sets* y dio el segundo punto a España en la primera jornada de la final. La Davis está a un centímetro.

Nadal jugó el partido perfecto, en el momento exacto, frente al rival necesario. El deporte es muy sensible a estas cuestiones de precisión casi teatral. Grandes jugadores nunca han conseguido la admiración popular. No se trata de ganar torneos, de manifestar grandes cualidades en las pistas, de consagrarse en el deporte. Es otra cosa. Es la invisible frontera que separa al gran profesional del ídolo carismático, aquél que transmi-

ioteca Nacional de España

te a un país una vibración especial. Nada de gran relevancia como tenista, pero ya había dado señales de su especial naturaleza en las eliminatorias frente a Eslovaquia y Francia. Sin su contribución, el equipo español difícilmente habría alcanzado la final. Sin embargo, la presunción de su talento no era suficiente como para declararlo ídolo. Ni tan siquiera tenía puesto seguro en el equipo. Su titularidad, a costa del consagrado Juan Carlos Ferrero, despertó la polémica. Era una decisión de alto riesgo que requería una respuesta convincente del joven Nadal. Un fracaso inapelable

ante Roddick habría ampliado el ruido de la controversia, probablemente con un efecto devastador en la estabilidad del equipo.
No falló. Triunfó. Salió aclamado de la pista de Sevilla, tras un partido que desplegó toda la épica de la Copa Davis. Nada más apropiado que la presencia de Manuel Santana, Joan Gisbert y Josep Lluís Arilla, los pioneros que abrieron el camino del tenis español hacia el éxito. Había ganado Carles Moyà su partido ante Mardy Fish. Fue un ejercicio sencillo, sin historia. Moyà hizo su trabajo con profesionalidad y buen ojo. No dejó que Fish hiciera aquello que no se sabe: ganar en

las pistas de tierra. Se cumplió el pronóstico antes de comenzar el espectacular partido que enfrentó a Nadal y Roddick. Durante tres horas y media, los dos jugadores libraron un combate épico. Al poderío un poco simplista del norteamericano se opuso la tenacidad y el ingenio del joven tenista español. Desde el principio quedó claro que es un jugador de rasgos singulares. En su estilo, en su voluntad, en su vertiente creativa, Nadal conecta con el público. Transporta a los espectadores de la condición de aficionados al entusiasmo radical. Con él se produce este misterio, poco común entre los grandes deportistas.

Su actuación fue memorable por muchas razones. Primero, por la victoria. Pero también por la clase de juego que desplegó ante Roddick, que ganó el primer *set* en medio de golpes espectaculares de los dos jugadores. Roddick empezó el partido como se esperaba: un gran jugador, con graves déficits en la pista de tierra, pero con la autoridad que se espera del segundo del mundo. Sabía que la suerte de Estados Unidos en la Copa Davis dependía de su resultado frente a Nadal. Conquistó el primer *set* como se espera de una figura acreditada. Lo hizo, sin embargo, a cambio de dejarse el pellejo. El primer *set* fue el prólogo de su drama. Nadal le resultó excesivo por juego y por coraje. El español ganó los tres siguientes mangas de manera impecable, con un registro enorme de golpes, sin permitirse una sola fisura ante un adversario que estaba dispuesto a aprovechar cualquier concesión. Roddick no la encontró.

Nadal sabía que era su tarde de gloria, el momento que con toda la seguridad trazará una divisoria en su carrera. Hasta ayer era una gran promesa del tenis. Ahora es un ídolo. En Sevilla ha nacido una estrella.

El desarrollo de la final

VIERNES

INDIVIDUALES

Carlos Moyà	6	6	6
Mardy Fish	4	2	3

Rafael Nadal	6 (6)	6	7 (8)	6	
Andy Roddick	7 (8)	2	6 (6)	2	

ESPAÑA	**2**
ESTADOS UNIDOS	**0**

SÁBADO

DOBLES

16.00	Rafael Nadal / Tommy Robredo
	Bob Bryan / Mike Bryan
	TVE-1

DOMINGO

INDIVIDUALES

12.00	Carlos Moyà - Andy Roddick
	Rafael Nadal - Mardy Fish

El reglamento permite cambiar los jugadores individuales del domingo una hora antes del inicio de los partidos. Esto permitiría a Ferrero jugar el 1º o el 2º o el 2º si lo deciden los entrenadores.

EL PAÍS

Lunes
6 junio 2005
0,95 euros

MARCA

RAFA, ERES EL REY DE LA TIERRA

Toda tuya

ATLÉTICO
Bianchi será el entrenador esta semana
El acuerdo está sólo a falta de la firma

SUBIÓ EN JEREZ
El Celta es de Primera

MUGELLO
Pedrosa pudo con todos en Italia
Hizo doblete con Lorenzo en 250c.c.

CAMPEÓN DE ROLAND GARROS
Marca. 6 de junio de 2005, portada.

tal, que es decisiva. Y para jugar bien esos puntos importantes necesitas una cosa: decisión. Haberlo hecho es un reflejo de la confianza que necesitaba, de la calma extra que he ganado durante la temporada de tierra». Viene de ganar Montecarlo, Roma, Madrid y Roland Garros y, por segunda vez, de nuevo sin ceder un set, Nadal acaba con Murray rumbo a la gran final de Wimbledon.

«Ha sido un día increíble, una de las victorias más difíciles, de las más grandes, de mi carrera». Cuatro participaciones en cinco años, cuatro finales. El balance de Rafa Nadal en el grande londinense asusta. Y asustado llega Tomas Berdych al duelo definitivo. Él, que viene de inclinar a Federer y Djokovic, que dispara fuego en cada servicio, que desayuna con nominaciones de favorito al título, sucumbe ante el número uno del mundo. El mejor jugador del momento. Sin duda. Sin dudas.

Nadal, catedrático del resto, firma una de sus lecciones magistrales. Lo aprecia, en directo, el mito cada vez más emulado. «Rafa restó increíble el saque de Berdych. No me sorprende. No es solo su movilidad, sino que gana todos los puntos importantes, todas las pelotas cruciales. Eso es lo que hace de él un campeón». Habla Björn Borg, que ya augura lo que está por llegar: «Es el número uno y puede ganar el Abierto de Estados Unidos, por supuesto. Parece más fuerte, saca mejor, tiene la confianza a tope... Tiene, en definitiva, una buena oportunidad. Va a ganar muchísimos grandes más porque le quedan muchos años de carrera».

De momento, ocho. Veinticuatro años y Nadal iguala a Agassi, Connors, Lendl, Perry o Rosewall. Veinticuatro años y Rafael resucita, revive, su sueño de infancia. «Estar de vuelta en mi torneo favorito, jugar bien de nuevo y terminar con el trofeo es asombroso. Fue muy difícil para mí volver a mi mejor nivel y lo he hecho». Mueca de satisfacción. Sonrisa de deber cumplido.

Mientras tanto, alucinan sus compañeros de circuito, como Pablo Andújar. «Entre todas sus hazañas, la más sorprendente es ganar dos veces en Wimbledon. Te lo digo porque nunca he ganado un partido en hierba y llevo unos años en el circuito. Yo quizás juego menos "a lo español" que él y me cuesta una barbaridad jugar allí. Me siento indefenso. Ver cómo juega él, cómo ha ganado dos Wimbledon, es la hostia». Sin más.

¿Cómo se ganan catorce partidos consecutivos en Wimbledon? ¿Cómo se conquista dos veces una catedral que consideraba hereje a cualquier tenista de lengua hispana? «Si quieres jugar bien, encontrarás un camino. Si de verdad quieres jugar bien en una superficie y eres un buen jugador, al final encontrarás un camino. Y jugar en hierba siempre fue mi sueño, durante toda mi vida fue una meta para mí». Contundente. Ilustrativo. Sentencia, dos días después, el titular de una entrevista en *El País*: «Me gusta más superarme a mí mismo que a los demás». Definitivo.

Lejos, desde España, Feliciano López observa el octavo título del Grand Slam en la vitrina de su amigo. Ve cómo lo levanta en Wimbledon, sí, pero su mente le lleva al vestuario de Queen's. «Y acababa de ganar Roland Garros hacía menos de veinticuatro horas... Eso es lo que marca la diferencia, la capacidad de superación que tiene. Otra persona dice: "He ganado Roland Garros. ¿Voy a ir yo en tren a Queen's mañana? ¡Me quedo aquí una semana, que he ganado un Grand Slam!"». Uno no, dos. En París y en Londres. En apenas veintiocho días. Y entre ambos, el grito solitario de una tarde lluviosa: «¡Vamos! ¡Salgamos a entrenar!».

Ahora sí. Llegó la hora, Rafael. Te has ganado celebrarlo a lo grande en Mallorca. «Por supuesto, el US Open va a ser uno de mis retos durante el resto de mi carrera. Pero ahora mismo toca disfrutar de la playa, la pesca, el golf, los amigos y la fiesta». Pásalo bien, bicampeón.

Lo ganó el 4 de julio de 2010, pero todo empezó mucho antes...

En Somerset Road, a solo unos pasos de la puerta 16 del All England Lawn Tennis and Croquet Club, se susurran confidencias del corazón, deseos viscerales y secretos del alma, que más tarde se harían realidad. En una de las acogedoras casas que rodean al selecto club inglés, desde donde ya se puede disfrutar del olor a la impecable hierba de Wimbledon, Rafael convivió en sus primeras experiencias en el Grand Slam londinense con Feliciano López y el entrenador que en aquellos momentos acompañaba al toledano por el circuito, Francis Roig.

Una tarde de junio de 2003, amenizada por el ritmo lento de las finas gotas de lluvia que flotan incansables en el cielo británico, Nadal arribó a la capital inglesa para afrontar su primera experiencia profesional en uno de los torneos que solo con pronunciarlo se le aceleraba el pulso. Sin embargo, la mítica estatua en honor a Fred Perry, el paseo bajo esos pasillos decorados con flores verdes, violetas y blancas, o las largas colas de aficionados para consumir las tradicionales fresas con nata, no eran nuevos para él. Había descubierto todo aquello hacía apenas un año. Ya había tenido la ocasión de respirar el purismo de la famosa colina británica y pelear por el título en la edición júnior, que acabaría conquistando el australiano Todd Reid.

Con el raquetero cargado de ilusiones, Rafael se había presentado un año antes, el 29 de junio de 2002, en un territorio inexplorado. Nunca había calibrado su raqueta frente a los mejores jugadores de su edad en un torneo de estas características y mucho menos había impartido su tenis sobre el manto verde. Entre los españoles, Feliciano era el único superviviente que aún se mantenía con opciones en Wimbledon durante la segunda semana.

«Yo me entrenaba con Francis Roig. Estábamos en el torneo profesional y Rafa se unió para disputar el torneo júnior que se juega la segunda semana. Llegó al club, no tenía con quién entrenarse, y Francis se metió a pelotear con él». El propio Roig quedó asombrado después de aquel intercambio de golpes. «Era el primer día que se entrenaba en pista de hierba y el tío parecía que llevaba toda la vida jugando en esta superficie. Le pegaba cada castaña... Y la verdad es que me sorprendió. Pensé: "Hostia, este tío aquí..."».

Fue el único Grand Slam de categoría júnior que afrontó Nadal. Unas semanas antes, centraba sus esfuerzos en terminar los estudios de Secundaria, y no pudo asistir a Roland Garros. Jugar en la catedral del tenis era una de las mejores formas de premiar el exitoso esfuerzo ante los libros, superados aquellos exámenes de Enseñanza Secundaria Obligatoria (ESO). Desde su entrada en el club británico se produjo un flechazo eterno entre Wimbledon y Rafael: «Cuando entras allí, respiras historia».

Los nervios y la falta de partidos en una superficie casi desconocida le traicionaron en su estreno ante Brian Dabul. El argentino se apuntó la primera manga, pero Nadal pudo darle la vuelta al partido y seguir con vida en el torneo. El mismo guion se repitió ante el estadounidense Chris Kwon, el sueco Michael Ryderstedt y el alemán Philipp Petzschner. En semifinales, en cambio, Lamine Ouahab acabaría con su progresión. Para entonces Nadal ya soñaba con mostrar algún día desde el balcón del All England Tennis Club el trofeo más preciado, como ese mismo año hizo Lleyton Hewitt tras ganar a David Nalbandian.

Después de la aventura juvenil, una temporada más tarde regresó al mismo escenario, esta vez para jugar con los mayores. Con el cartel de Top 76 en el ránking ATP, pero sin la experiencia de haber jugado jamás un torneo de estas características: aquel era el primer Grand Slam de su carrera, con 17 años recién cumplidos. Aún con cara de niño y sin títulos en su vitrina, su progreso le había permitido acelerar su relación con la élite del tenis nacional. Y Rafael pasó de alojarse un año antes en un colegio, a compartir apartamento con el jugador que mejor se adaptaba al verde, Feliciano López: «Compartimos casa durante dos o tres años. Siempre lo hacíamos porque era la mejor manera para que ambos preparásemos el torneo desde unos días antes».

Entre aquellas confesiones de Somerset Road, desde donde se atisban los muros de cemento del gigante que escondía el gran sueño de Rafael, hubo una por encima de todas que sorprendió a los presentes. No tanto por la carga de ambición, de sobra conocida, sino por el nivel de dificultad. Hacía casi 40 años que un español había triunfado allí: Manolo Santana lucía en solitario un trofeo en el palmarés de Wimbledon (1966). No importaba. En el interior de Rafael ardía una llama. Un deseo incipiente. Y una tarde se la reveló a su compañero de convivencias en Londres: «Yo aquí tengo que jugar bien. Como sea».

Su estreno fue aceptable. Sin un bagaje previo en los Grand Slam y un recorrido extremadamente corto sobre hierba, Nadal superó varios obstáculos: Mario Ancic, en primera ronda, y Lee Childs, en segunda. Pero el tailandés Paradorn Srichaphan, número once del mundo en aquellos momentos, le apeó del estreno de sus hazañas en los torneos de esta categoría.

—Con este saque no voy a ningún lado, Feli.

—Tranquilo, Rafa. La hierba necesita tiempo y adaptación.

«En los primeros años no le iba bien la superficie porque no tenía el saque que tendría más tarde, no era tan agresivo como ahora, era muy joven...», recuerda Feliciano, que no olvida tampoco la siguiente derrota, aún más dura, en el regreso de Nadal a Wimbledon en 2005 (no participó en la edición de 2004). Unos días más tarde de estrenarse con su primer trofeo de Grand Slam en Roland Garros, se marcharía tras la segunda ronda ante Gilles Muller (4-6, 6-4, 3-6 y 4-6).

—¿Qué tal ha ido, Rafa?

—¡Uf! No lo veo claro, Feli.

—¿Por qué?

—La hierba es una superficie muy difícil para mí.

Idénticos temores... y un halo de esperanza oculto. «Así como otros españoles llegaban a Wimbledon y nunca creyeron que podían triunfar, Rafa conoce la historia y sabe la importancia de ese torneo. Y tiene una fe tan grande en él, que creía que podía mejorar lo suficiente para conseguirlo». El toledano y el manacorense se marcharon prácticamente de la mano del grande londinense, pero Nadal lo hizo ansiando más que nunca ganar allí. Su deseo, cuyo germen fue inyectado mucho antes, seguía intacto.

Eso sí, había muchos detalles por pulir. Sus condiciones se alejaban de los cánones necesarios para lograr el objetivo: el servicio, el juego en la red, la capacidad para acortar los puntos... No obstante, Nadal contaba con los ingredientes idóneos para ir en su búsqueda: talento, esfuerzo, sacrificio y trabajo. Mucho trabajo. «Yo he visto a Rafa desde que empezó hasta hoy. Y en sus inicios, incluso cuando empezó a destacar y a ganar torneos, ni yo ni la gente del mundo del tenis podíamos pensar que un jugador pudiese evolucionar tanto su tenis y su nivel para llegar a conseguir cosas que en esos momentos parecían imposibles para él, e incluso para su gente», advierte desde la barrera Feliciano López.

Si su tenis se había labrado sobre arcilla, sus características lo convertían en un rival más duro en esta superficie que sobre cualquier otra y los compatriotas que habían despuntado en el circuito también se lucieron en tierra batida, ¿por qué Wimbledon era una fijación? ¿Por qué era tan especial para Rafael ganar en Londres? ¿Por qué Nadal debía escribir también varios capítulos de su historia en la hierba inglesa para ser una leyenda?

Toni Nadal toma la palabra en busca de la respuesta: «Porque a mí me gusta la historia y sé que ganando Wimbledon eras un jugador especial en España, porque Roland Garros lo habían conquistado otros españoles y uno quiere sentirse un poco diferente y un poco mejor. Sabes que Wimbledon es un torneo especial y que era más lejana la posibilidad de ganarlo para los españoles». Él fue el encargado de inculcarle los valores que desprende el All England Lawn Tennis and Croquet Club. El amor por aquella copa dorada.

Entre tardes de juegos de cartas y charlas en medio de la vorágine de entrenamientos y partidos que exige la competición, Toni no escondía su admiración por el Grand Slam inglés: «¡Uf! Esto es diferente. Este torneo es especial». Un sello distintivo en el que incide Feliciano: «Era lo que le haría marcar la diferencia en el tenis español, porque campeones de Roland Garros ha habido, aunque no como él, evidentemente. Es cierto que si no hubiera ganado Wimbledon, habría sido el mejor tenista de la historia de España con mucha diferencia sobre el segundo, pero el hecho de decir: "No solo gano Roland Garros, sino que voy a ser capaz de hacerlo también en Wimbledon", para mí es el logro más importante de su carrera. Y creo que él siempre lo ha sentido así».

Siempre. El propio Nadal, aún imberbe, soñador y hambriento, revelaba su deseo en TeleVigo, mientras jugaba un Future en la ciudad gallega. Aún tenía 16 años, y con la voz temblorosa, aunque sin dudarlo un instante, lanzó una sorprendente elección:

—¿Y el torneo que preferirías ganar? —le preguntó el periodista.

—Wimbledon. Pero está muy difícil y hay que trabajar mucho.

Influido o no por su tío Toni, el pequeño Rafael tenía sus preferencias claras y así se lo transmitía a sus compañeros de circuito. «Yo he vivido junto a Rafa desde pequeño y he presenciado su evolución cuando empezó a jugar en Wimbledon desde que era júnior. Sé que desde chico quería ganar ahí porque sabía de la importancia de Wimbledon». A pesar de lo que decía la historia... Precisamente su intención era acabar con ella y coronarse en la Catedral.

«Lo que pasa es que en España, hasta que no ha habido jugadores españoles que les ha ido bien, desde la época de Manolo Santana en el año de Maricastaña, no se valoraba. Como los españoles no iban a Wimbledon, o iban a hacer el paripé, no se le daba la importancia que tiene. Para cualquier jugador o persona del mundo del tenis, cuando llegas allí te das cuenta de que hay un mundo entre Wimbledon y los demás grandes. Y está feo decirlo, pero es así. Cuando llegas a ese club y ves todo eso, es diferente. Rafa lo sabía, y por eso creo que ha evolucionado y pensó: "Yo algún día tengo que ganar ahí, porque esto me va a dar un punto de calidad diferencial". Rafa es mucho mejor jugador solo por el hecho de haber deseado tanto evolucionar su tenis», apunta Feliciano.

El conformismo jamás formó parte de su diccionario. Uno de los inquilinos de aquel apartamento en Merton, Francis Roig, lo sabe a la perfección. «Yo no sé si él, cuando perdió con Srichaphan en 2003, pudo llegar a pensar que algún día ganaría en Wimbledon. Sí sé que había mucha gente que pensaba que le iba a costar ganar allí. Y, mira, ha jugado cinco finales y ha ganado dos».

El último triunfo, en 2010. Y aquel deseo pueril que no escondía en su adolescencia se hizo realidad en más de una ocasión: conquistar la meca del tenis. «Cuando entras en Wimbledon, respiras historia», confiesa Rafael. Hoy forma parte de ella Nadal.

Capítulo IX

ABIERTO DE ESTADOS UNIDOS 2010
Aún seguía sin creerlo

> «Punto de partido. Punto de campeonato.
> Punto de todo.»

RAFAEL NADAL

*A*ún seguía sin creerlo. De pronto, el mundo se detuvo un instante que se antojó eterno. El silencio, la nada, la paz, envolvieron al actor principal de la escena sobre el tapiz del estadio Arthur Ashe. Mientras las 22.547 almas que abarrotaban la pista más grande del circuito le vitoreaban, el nuevo campeón del US Open permanecía tendido sobre el cemento. Abstraído. En una nube. Rafael estuvo tratando de encajar lo que acababa de ocurrir durante nueve segundos, tantos como títulos de Grand Slam presentaría Nadal, después de aquel día, en su vitrina.

Cuando recuperó la raqueta, la bandana y la razón, creía haber despertado de un sueño. «De pronto, como si recuperase el conocimiento después de un desmayo, me di cuenta de que estaba tendido en el suelo, rodeado de ruido y vi lo que acababa de lograr. A los veinticuatro años había ganado los cuatro Grand Slams, había entrado en la historia, había conseguido algo que superaba todo lo que me había atrevido a soñar, algo que duraría toda mi vida y que nadie me quitaría jamás», confiesa Nadal en *Rafa, mi historia*.

La magnitud de su hazaña estaba a la altura de unos pocos. Solo seis nombres antes que el suyo figuraban en el listado de héroes capaces de ascender a los cuatro cielos, de conquistar el póquer de ciudades ilustres del circuito, las cuatro fronteras, los Grand Slam: Melbourne (Abierto de Australia), París (Roland Garros), Londres (Wimbledon) y Nueva York (US Open). En el Olimpo del tenis, a la altura de raquetas célebres como las de Fred Perry, Don Budge, Rod Laver, Roy Emerson, Andre Agassi y Roger Federer, se situaba Rafa Nadal.

«Mientras sostenía en alto el trofeo del US Open, las cámaras relampagueaban y el público aplaudía, comprendí que había hecho posible lo imposible. En ese breve momento estuve en la cima del mundo», recuerda. Pero antes de coronar la cúspide y de medirse al infinito desde lo más alto, son necesarias horas de esfuerzo y ambición. Espíritu y capacidad de lucha. Voluntad y sacrificio. Y esos son recursos que viajaban en la mochila de Nadal en su camino hacia su noveno grande, con parada final en la estación de la eternidad.

Rafael y su equipo firmaron un pacto tácito. Durante la estancia en Nueva York jamás hablarían de las maravillosas vistas que se divisarían desde la que el propio Nadal bautizó como «la cima del mundo». Aunque el Grand Slam se atisbaba cada vez más cerca en el horizonte, apareció la prudencia. Había que salvar dos grandes obstáculos: los nervios y la presión. Y eso era algo que bien sabía Toni Nadal: «Yo pienso en el partido y lo que significa. No pienso más. Si es el Grand Slam... Ostras, no pienso mucho en eso».

A pesar de que había igualado el mejor registro de su carrera, con dos grandes en un mismo año (como en 2008), las sensaciones de Nadal en Estados Unidos no eran las mejores. Durante el verano, se había marchado de Canadá en semifinales ante Andy Murray, mientras que en Cincinnati tuvo que dar un adiós prematuro en cuartos de final frente a Marcos Baghdatis, tras acumular más de cuarenta errores no forzados. Si quería soñar con el Grand Slam, Rafael necesitaba reencontrar a Nadal.

Antes de dejar Ohio, desde el fondo de la sala de prensa sonó una última pregunta. La voz que siembra la duda: «¿Crees que con los partidos que has tenido en Toronto y aquí, en Cincinnati, estás suficientemente preparado para sentirte cómodo en el US Open?». Sin dar tiempo a que su interlocutor terminara la frase, Rafa respondió entre risas: «Esperemos que sí. ¿Qué puedo decir yo? No lo sé. Lo veremos en dos semanas».

Hacía cuarenta y un años que nadie lograba encadenar tres Grand Slam consecutivos en una misma temporada (Rod Laver, 1969) y Nadal podía romper el maleficio. Se presentaba en Flushing Meadows como campeón de Roland Garros y Wimbledon. Era el momento oportuno. Eso sí, nada más aterrizar en Nueva York, recibió la tan esperada como temida pregunta para quebrantar el pacto sellado con su entorno:

—Te abriste camino en hierba, ya has ganado en Australia y estás muy cerca de hacerlo también aquí. ¿Qué necesitas mejorar y cuánta confianza tienes? ¿Darás ese paso aquí?

—Bueno, muy cerca... A siete partidos.

Disponía de catorce días por delante para convertir esa cifra de partidos en victorias. Conseguirlo implicaría pasar a la leyenda, pero de nada servía pensar más allá del siguiente encuentro. Y la primera prueba estaba fijada, Teymuraz Gabashvili. «Espero tener la oportunidad de jugar bien aquí y tener opciones de ganar, pero sin obsesionarme. Estoy más que contento con lo que tengo en casa, con todos los trofeos que he ganado», argumentaba el propio Nadal antes de saltar a competir por primera vez el 31 de agosto de 2010.

Su estreno con el ruso se prolongó durante casi tres horas. Era el primer paso para arrancar a andar en el pedregal americano. Nadal terminó sacando el partido por 7-6, 7-6 y 6-3. Lo mismo hizo en la segunda ronda frente al uzbeco Denis Istomin. A pesar de la contundencia que relataban los resultados (6-2, 7-6 y 7-5), sufría más de lo habitual. Tanto que en el tie-break del segundo parcial, tuvo que remontar un 1-5. A Toni no le gustaba lo que veía en la pista. Entendía que aquel no era el camino hacia la cima.

Tío y sobrino, entrenador y jugador, se reunieron en el vestuario tras el partido. Como solía ocurrir en el coche de vuelta a casa, durante la infancia de Rafael en Mallorca, Toni habló sin miramientos, pero esta vez sería una de sus charlas más duras...

—Rafael, la actitud ha sido pobre.

—Toni, no entiendo por qué reaccionas así, si he jugado como me has dicho. La mayoría de la gente alaba mi actitud en la pista.

—Yo me limito a decirte lo que pienso. Si no te gusta, me vuelvo a casa y ya puedes buscarte a otro entrenador.

—Toni, creo que te estás equivocando.

—Ya no disfruto siendo tu entrenador.

Aquella conversación supuso un punto de inflexión. Un antes y un después en la versión de Nadal en la pista. El amago de ruptura despertó a la bestia y ya fue imparable. Gilles Simon, en tercera ronda, Feliciano López, en octavos de final, y Fernando Verdasco, en cuartos, vieron cómo el número uno del mundo necesitaba alrededor de dos horas para despedirles, uno a uno, de la ciudad custodiada por la Estatua de la Libertad.

En semifinales, Mikhail Youzhny. 6-2, 6-3 y 6-4. Nadal se había clasificado para su primera final del US Open y el *Coronel* ruso destripó la clave del éxito de su rival. «Parece que sirve mejor que antes. En mi opinión, no se trata de que saque más rápido, pero lo hace al lado de la «T» con el mismo nivel de acierto. Además, presenta un alto porcentaje con su primer servicio». No se equivocaba.

«Yo sabía que tenía que sacar bien si algún día, de verdad, quería tener la oportunidad de ganar aquí. Siempre me repetía esto a mí mismo. Trabajé mucho para sacar mejor durante toda mi carrera y tengo que seguir trabajando igual de duro.» Nadal mantuvo sus números con el servicio también en la última ronda. Al otro lado de la red, no estaba el esperado Roger Federer. Por primera vez en su carrera, su rival en la final de un Grand Slam sería Novak Djokovic.

Un cambio en el *grip*, distinta colocación de los pies y un golpeo más plano de la pelota, fueron tres acciones fundamentales para alcanzar el éxito. «Mi saque funcionó muy bien esta noche. Por supuesto sacar así me da una gran confianza en mi juego». Nadal acababa de tumbar al serbio 6-4, 5-7, 6-4 y 6-2 para pasar a la historia. «Jugué mi mejor partido en el US Open en el momento más importante, así que estoy muy, muy feliz, por supuesto».

Enfrente, Djokovic asumía la superioridad del número uno del mundo: «Lo tiene todo para ser el mejor tenista de la historia. Es muy fuerte mentalmente y se dedica por completo a este deporte. Es simplemente genial que alguien que tuvo tanto éxito tan joven haya sido capaz de seguir motivándose para mejorar en cada torneo, en cada partido que juega, sin importar quién está al otro lado de la red».

El serbio, que había contemplado el acceso a la inmortalidad de su rival, entonaba su sarta de elogios: «Está desplegando el mejor juego en pista dura que yo le he visto nunca. Ha mejorado drásticamente su servicio. La velocidad, la precisión, y, por supuesto, su juego de fondo es tan bueno como siempre. Hay que quitarse el sombrero ante este tipo por todo lo que hace dentro y fuera de la pista. Gran campeón, gran persona y gran ejemplo de lo que es un deportista».

Al día siguiente, los primeros rayos del sol de la mañana calentaban las manos de Rafael. Entre sus brazos rodeaba el deseo de una vida. Ya formaba parte de la leyenda del tenis y las calles de Manhattan esperaban al campeón con su trofeo para cumplir el protocolo de la habitual sesión de fotos. Sin tiempo a grandes celebraciones ni estridencias, regresó a Madrid. Una multitudinaria rueda de prensa en el Aeropuerto de Barajas y una visita fugaz al Bernabéu para presenciar el Real Madrid-Ajax fue el preludio de su regreso a Mallorca. El héroe regresaba, por fin, a casa. Allí le esperaba su familia y sus amigos de la infancia.

Lejos de los flashes y las emociones, la calma regresó en Manacor. La resaca de éxito no impidió que Rafael y Toni acordaran un entrenamiento para la mañana siguiente bajo la curiosa mirada de una pareja de ancianos alemanes que, en silencio, inmortalizaban la escena. «Escuché una frase en la casa de Alejandro Sanz que contaba de Paco de Lucía: "En la agricultura, cultivar sandías es un mundo. ¡Joder, qué mundo! Un mundo como el nuestro de la música… Hay muchos mundos". Y acababa diciendo: "Lo malo es cuando te crees que tu mundo es el único". El tenis es este mundo pequeño que nos afecta a nosotros. El ganar o perder no es tan significativo. Al día siguiente entrenas, que es lo que has hecho cada día», reflexiona Toni.

Y la mente de Rafael viaja al pasado, una década hacia atrás, cuando Nadal peleó por su primer punto ATP. Guillermo Platel le privó de estrenar su casillero, pero la reacción del niño fue idéntica a la del campeón que completaba el Grand Slam. «Tenía 15 años y perdió un partido muy duro en primera ronda del Futures de Madrid. Al día siguiente, cuando llegamos al club a las 8.00

de la mañana, Rafa ya llevaba un rato entrenando allí», recuerdan, aún atónitos, los testigos que contemplaron la escena en el Club Brezo Osuna.

Fue uno de los primeros pasos que dio hacia la inmortalidad que alcanzó en Nueva York. «Es una sensación increíble, porque he trabajado mucho durante toda mi vida para llegar hasta aquí, pero nunca imaginé tener los cuatro Grand Slam». Aquel 13 de septiembre de 2010 volvió a escuchar una frase que conocía de sobra: «*Game, set and match*» (Juego, set y partido). Pero esta vez aquella derecha de Djokovic que se marchó al pasillo de dobles, no concedía un punto cualquiera. Era punto de partido. Punto de campeonato. Punto de todo.

Lo ganó el 14 de septiembre de 2010, pero todo empezó mucho antes...

«Salida del vuelo... con destino Nueva York». Los rayos de sol daban la bienvenida al estío de 2001, una época en la que la megafonía de los aeropuertos aún advertía a los viajeros más despistados. No era el caso de Rafael. Sabía perfectamente la puerta que le llevaría a conocer la Gran Manzana, la Estatua de la Libertad, el Empire State, la Quinta Avenida, el Madison Square Garden o el World Trade Center. Todos, escenarios que solo había visto antes a través de la óptica de Hollywood.

Cuatro meses después de aquel inolvidable viaje familiar, Nadal disfrutaría de su primer partido como profesional. Apenas acababa de cumplir quince años y jamás había afrontado un partido de fase final en el circuito de Futures. Sin embargo, su nombre no era desconocido para la mayoría de jugadores que completaban el cuadro principal del torneo que acogía el Club Deportivo Brezo Osuna (Madrid), del 10 al 16 de septiembre.

«Cuando me enteré de que me tocaba enfrentarme en primera ronda con Nadal no pensé: ¿Y el *wildcard* este de dónde ha salido? Todos sabíamos quién era». Guillermo Platel, que ocupaba el puesto 731 del ránking de la ATP, conocía el potencial que atesoraba aquella precoz muñeca izquierda y que la invitación concedida por la organización del torneo madrileño estaba a buen recaudo si era Rafa el encargado de disfrutarla. «Se hablaba de él en condición de campeón del mundo de su edad. Además, en marzo de ese mismo año tuve la oportunidad de verle jugar en la previa de un torneo satélite en Barcelona. Y ya me pareció que era un chaval que jugaba fantástico».

Rafael estaba ante la primera gran oportunidad que se le presentaba en su corta trayectoria para sumar un punto ATP y ocupar un lugar, el lunes siguiente, en la clasificación mundial. Tanto él como uno de sus compañeros de viaje a Madrid, Marc Marco Ripoll, apenas habían tenido tiempo para adaptarse a la altitud de la capital de España y mucho menos a la velocidad de la pelota que volaba sobre el cemento. «Marc me decía sorprendido: "Venimos de tierra y ahora en pista rápida me las estoy comiendo todas. Mientras, este [Nadal] dice que tampoco es tan rápida". ¡Y habían llegado a Madrid el día anterior al partido!», recuerda Platel.

Como todos los días importantes de competición, a Rafael no hacía falta levantarle de la cama. Aquella mañana en Madrid, tampoco hizo una excepción. A la salida del sol, antes aún de que sonara el despertador, ya se había despegado de las sábanas y andaba inquieto visualizando el esperado estreno, solo unas horas más tarde.

El partido estaba fijado para el mediodía y, acompañado por su tío, Nadal fue uno de los primeros en llegar al club. Su rival, siete años mayor, confiaba sin confiarse: «Sabía que él jugaba muy bien, pero aún así entré a la pista sabiendo que era un partido que tenía que ganar, porque estaba jugando contra un chaval de quince años. Por muy bien que jugase, no tenía experiencia en la competición».

El poder de la responsabilidad, los nervios y la tensión de Platel contrastaban con el desparpajo, la alegría y la ambición del adolescente que jugaba con el talante de un veterano. «Empecé el partido siendo conservador, cometiendo más errores de lo normal. Él, a la mínima que podía, conseguía muchos *winners* paralelos, a mi derecha. Era muy complicado porque la pista era muy rápida y había que estar muy fino para lograr ese golpe». Rafael jugaba suelto y apenas dio tiempo a su rival para entender lo que ocurría. Se apuntó el primer set por 6-2.

Nadal era una apisonadora. Nunca había jugado un partido de esas características, tampoco una sola previa de un Future o un Satélite en pista rápida, pero dominaba el encuentro. De principio a fin. «Su actitud era bastante madura para su edad. Además, era un jugador pasional que levantaba el puño y la rodilla para celebrar los puntos. Era muy expresivo». Tanto que mientras se acercaba a su primera bola de partido, con 6-2 y 5-2 en el marcador, Platel se desahogaba deshaciendo en mil pedazos su raqueta contra el cemento. Llegó a desesperarle. Hasta tal punto que la temperatura aumentó sobre la pista:

—Oye, ¿te pasa algo?

—No, no me pasa nada —respondió Rafael.

—¡Ah, vale! Lo decía por si tenías algún problema, que te veo hacer muchos aspavientos.

«Me estaba dando un repaso. Lo veías metido en el partido. Sin cabrearse, ni chillar. Concentrado, a lo suyo». Platel no daba crédito. Un niño de quince años le había llevado al límite. A perder la templanza y casi la compostura. «Me sorprendió que entrara en la pista con el mismo desparpajo que el que mostró diez años más tarde, cuando completó el Grand Slam. Entraba con una actitud que parecía decir: "Al de enfrente me lo meriendo". Lo que más te llama la atención de Rafa es que estaba jugando el cuadro final de un Future, estaba en su primer torneo profesional y en lugar de disfrutar, que es lo que haría cualquier otro chaval, entraba para ganar. Es un ganador nato.»

Nadal acarició el partido hasta en trece ocasiones, la cantidad de oportunidades que tuvo para cerrar su primera victoria con derecho a sumar puntos ATP. Pero todas se fueron esfumando. Una tras otra durante la segunda manga. La mayoría de ellas al resto. Mientras tanto en la grada, muchos de sus posibles rivales en rondas posteriores contemplaban la *ópera prima* que Rafael trazaba en la pista. A pesar de ser un pintor novel aquella actuación tenía tintes de obra maestra. «Nos dio una lección a todos. Parecía que podía con Platel. Cada vez que tenía punto de partido se animaba. Lo perdía, se callaba y seguía. Ganaba otro punto, se animaba. Lo perdía, se callaba y seguía. Y así en cada una de las trece bolas de partido que tuvo», observaba desde la valla Iván Esquerdo.

El viento empezó a soplar en contra de Nadal. Todas las derechas que antes se aliaban con las líneas ahora se marchaban fuera. Unas corrientes demasiado feroces para unas velas sin experiencia en travesías tan turbulentas. Así lo entendió Platel: «Supongo que se fue poniendo nervioso al ver que no lograba cerrar y que yo era capaz de recuperar. Al final conseguí forzar el tercer set (5-7) y en ese momento todo fue más rodado para mí».

Nadal no pudo recuperarse del mazazo de ver escapar el tren. Su primer punto ATP había pasado ante sus ojos sin que pudiera atraparlo. Su rival no le había perdonado y firmaba la victoria por 2-6 en el tercer parcial.

La reacción fue lógica, fruto de la frustración. Toni Colom, que acompañaba a otros jugadores de Baleares en aquel Future, contempló la escena en directo: «Fue un jarro de agua fría. No hubo manera de cerrar este partido. Fue un duro golpe perder, teniendo tantas bolas de partido. Después de empezar como una bala y sorprender a un adversario que era mayor y más experimentado, se puso nervioso. Cambió la agresividad en su juego y retrocedió un poco».

Pero la actitud de Rafael tampoco pasó desapercibida para sus rivales: «Cuando terminó el partido cogió la raqueta, la metió en la bolsa y se fue al vestuario a llorar, cuando cualquier otro la hubiese roto de la rabia. Todos entendimos que iba a ser muy bueno», analiza desde la distancia Esquerdo.

Nadal perdía su primer partido profesional y Platel ganaba una historia que contar: «A veces, cuando digo que gané a Rafa, me da vergüenza. Muchos me toman por loco. Yo les digo que vayan a Internet a comprobarlo. Aun mirándolo, hay alguno que todavía no se lo cree».

«Es una fecha tan señalada, que todo el mundo sabe lo que hizo ese día. Se lo podré contar a mis nietos, aunque la victoria no deja de ser una anécdota. Con el tiempo pasó de ser un triunfo más a ser el mejor de mi vida. En el momento en el que terminó, recuerdo que simplemente pensé: "Vaya partido que he sacado", pero no le di más importancia», añade. Una fecha tan señalada... Sí, el estreno profesional de Rafael Nadal como tenista se produjo el mediodía del 11 de septiembre de 2001.

El partido se había alargado durante más de dos horas y el reloj casi marcaba las tres de la tarde cuando el terror ya había contagiado a todos los que contemplaban las imágenes por la televisión del Brezo Osuna.

—¡Vaya locura! ¡Qué barbaridad! —se escuchaba.

—Pero, ¿qué está pasando? —preguntaron los dos jugadores recién salidos de la pista.

—Acaba de estrellarse un avión contra una de las Torres Gemelas.

Sin tiempo para asimilarlo, un segundo avión impactó quince minutos más tarde sobre el otro gigante de cemento. «Iba ganando 6-2 y 5-2, tuvo trece puntos de partido, pero fui desviando la atención porque el partido era a la misma hora que lo de las Torres Gemelas.... En esos momentos te das cuenta de lo insignificante que es una derrota», reflexiona Toni Nadal una década más tarde de la tragedia. «Al final casi ni hablamos del partido, porque lo otro era mucho más grave. No pensé más en aquel encuentro». Al entrenador le tocó, esta vez, hacer de tío: «No te preocupes, Rafael. No pasa nada. Has hecho todo lo que estaba en tu mano. Aquí venimos a aprender».

Rafael tampoco ha borrado de su retina lo sucedido el martes 11 de septiembre de 2001. ¿Cómo olvidarlo? «Recuerdo exactamente qué hice aquel día. Jugué un partido para ganar mi primer punto ATP y lo perdí tras desperdiciar trece puntos de partido. Tal cual. Justo después vi la tragedia por televisión. Estaba muy triste por la derrota, porque el primer punto ATP era muy importante para mí, pero cuando volví al vestuario y vi eso, tardé un segundo en olvidar el partido. De verdad. Yo había estado en las Torres Gemelas solo unos meses antes, arriba del todo, de vacaciones con mi familia. Y lo que vi ese día en la tele es probablemente la imagen que más me ha impactado en toda mi vida».

Aquella tarde, aún con el sudor en la frente mientras contemplaba la televisión, miles de recuerdos pasaron por su cabeza en solo un instante. Sus paseos por la Gran Manzana o su asombro al admirar desde el suelo uno de los edificios más altos del planeta estaban todavía demasiado recientes. «Me sentí realmente mal, porque recordé que había estado allí y no podía creer lo que estaba viendo. Fue duro para la gente de Nueva York, pero también para todo el mundo. Una tragedia así, que nos afecta a todos, es difícil de aceptar. Difícil de comprender. Y yo no soy una excepción. Sentí mucho dolor y sufrí por ellos».

Poco después, desde que Rafael debutó en el US Open en 2003, asumió como rutina una visita obligada: siempre volvía a la Zona Cero y pasaba unos minutos contemplando el vacío que dejaron las torres. Aún seguía sin creérselo.

Capítulo X

ROLAND GARROS 2011
Entre tanques, bazocas y lanzacohetes,
una pistola pequeña

«El deporte es aceptar, caer y levantarse.
Aceptar, caer y levantarse.»

RAFAEL NADAL

«*S*iempre se ha magnificado mucho mi espíritu, mi fuerza interior, mi lucha y mi entrega. Creo que la he tenido, es evidente, pero hay mucha gente que la tiene. Al fin y al cabo, si he ganado lo que he ganado, esto me ha ayudado en ese momento, pero uno no gana lo que he ganado yo si tenísticamente no está superdotado». Cierto.

«Corriendo y luchando, si no tiras la pelota al lado de la línea, si en situaciones complicadas no la vuelves a meter, y si cuando tienes que meterla ahí, no la metes, uno no gana lo que he ganado yo». Muy cierto.

«Una de mis características ha sido el esfuerzo, la lucha, la capacidad de superar situaciones y volver de lesiones, rebasar los obstáculos que me ha planteado mi carrera. Sí, pero tenísticamente...». Tenísticamente, un privilegiado.

Sirvan estas palabras de Rafa Nadal en *Tennistopic* como obviedad asumida y *mea culpa* entonado. Sí, este capítulo va a ensalzar la capacidad mental de Rafael. Va a adentrarse en la azotea más privilegiada del deporte mundial. «Una cabeza que domina, quema y asfixia a sus rivales», en palabras de Juan José Mateo en *El País Semanal*. «En el tenis la igualdad es máxima, y los buenos marcan la diferencia en los momentos de presión. La asumen y la superan. Y Rafa es, sin ninguna duda, el mejor jugador de la historia mentalmente», sentencia David Ferrer.

El año 2011 fue complicado. Planteó un reto inédito. Nadal, que nunca había entregado una final a Djokovic, perdió las de Indian Wells y Miami. Nadal, que nunca había claudicado en tierra batida ante Djokovic, perdió en Madrid y Roma. Novak, Novak, Novak y Novak. Cuatro victorias, cuatro mordiscos, cuatro *comecocos*.

El serbio, competidor brutal, se había metido en la cabeza del manacorense como este hizo desde que se cruzó por primera vez con Roger Federer. «Las derrotas de Madrid y Roma nos mataron. A partir de ahí, Djokovic le tenía comida la moral», reconoce Toni en *Jot Down*. Tocaba luchar. Pelear. Sufrir. Aceptar, caer y levantarse. Receta Nadal.

«Rafael es el jugador que más partidos gana jugando mal». La sentencia, habitual en Toni Nadal, encuentra apoyo en Carlos Moyá: «Tiene tal profesionalidad y tal concentración que consigue que su peor juego sea diez veces más potente que el peor juego de cualquier otro jugador de su nivel».

Lo explica, con una alegoría muy gráfica, Francis Roig: «Rafa tiene algo, eso de ganar partidos jugando mal, que es impresionante. Él cuando está en el vestuario, abre la bolsa y ve lo que tiene ese día». A ver qué hay por aquí… «Coño, hoy tengo una granada de mano y una pistola pequeña, y me voy a la guerra contra tíos que tienen tanques, bazocas, lanzacohetes… Y yo solo tengo estas cositas, pero con esto voy a luchar hasta el final y voy a sacar el máximo rendimiento a mi juego».

«Él administra muy bien las armas que tiene para ese día y con eso va al cien por cien», continúa. «Por eso gana muchos partidos que otros jugadores no ganan. Porque no tienen la humildad de decir: "Hoy no estoy bien, hoy tengo que remar, tengo que correr más; es lo que me toca y lo voy a hacer". Y lo hace. Rafa no es de los que dice: "O gano imponiendo mi ley o pierdo, porque yo juego de esta manera y no puedo cambiar". Él se adapta y no se rinde».

Por cierto, la parábola de Roig termina con una advertencia con tintes de amenaza: «Otro día ya tendré el lanzallamas, tendré el tanque, lo tendré todo en la bolsa; y ese día, jugaré más a lo grande». Y todos, Francis, Rafa y hasta el propio tanque, saben que ese día llegará.

De momento llega un Roland Garros atípico. Por primera vez en toda su carrera Nadal aparece en París con más fantasmas que títulos. Montecarlo y Barcelona conquistadas; Indian Wells, Miami, Madrid y Roma, rendidas ante idéntica amenaza. *Invictus*, versión serbia.

La tensión, los nervios, tan habituales los primeros días del torneo, crecen. Y para debutar, John Isner. 208 centímetros de pura potencia. El 6-4 inicial pronto se convierte en 6-7(2) y 6-7(2), tras una rotura de servicio regalada en «un despiste» y sendos desempates entregados sin plantear oposición.

El descalabro, convertirse en el primer campeón que se despide a la primera al año siguiente, se asoma a la vuelta de un solo set… y entra en juego la vía criminal. Turno para la solución de emergencia que forjaron hace mucho tiempo Rafael, a golpe de riñón y corazón, y Toni Colom, a golpe de consejo.

«Desde que era pequeño Nadal salía al ataque, pero si no le iba bien, si no tenía el día, si había que ganar por la vía criminal, lo hacía y pasaba por encima del rival».

¿La vía criminal? «Tú puedes dominar el punto y acabarlo con un *winner* o en la red, y luego está lo contrario que es no fallar ni una bola. Siempre meter una bola más que el contrario. Esto es la vía criminal», define Colom.

—Hoy sé que voy a sufrir, pero no voy a regalarle nada.

—Eso es, Rafa. Da todo lo que tu mente y tu cuerpo tengan y él acabará fallando.

—Vale, la vía criminal.

«Es como si hubiese plan A, plan B... y al final, plan C. Este último es la vía criminal: "Me voy a dejar la vida y voy a ganar". Así es Rafa». Y así reacciona ante el abismo que ofrece Isner, sin cometer ni un solo error no forzado en el cuarto parcial y rematando la remontada en el quinto, territorio desconocido en la arcilla de París. «El partido se me ha complicado una barbaridad», reconoce el pentacampeón.

En segunda ronda Rafa inclina a Pablo Andújar, pero concede 16 pelotas de rotura y siembra un latifundio de dudas. ¿Por qué no pudiste ganar aquel partido aun jugando mejor que él, Pablo? «Porque es un gran superviviente. Y es capaz de estar jugando mal y acabar ganando el partido. Esa es la grandeza que él tiene. Una de sus grandezas».

Nadal ha empleado en dos partidos más de la mitad del tiempo que necesitó en llegar a la final de Roland Garros el año anterior. «Es lo que hay, y hay que superarlo o irse a casa». Acaba de jugar el segundo y el cuarto duelo más largos de su carrera en la capital francesa y lo ha hecho en las dos primeras rondas. Territorio minado. Antonio Veic, número 227 del mundo, e Ivan Ljubičić, 32 años, no cuestionan al favorito, pero él, autocrítico como siempre, se cuestiona solo: «No estoy jugando lo suficientemente bien para ganar este torneo».

Reconoce despistes, reconoce presión y altibajos, reconoce que las piernas no van y que falta agresividad; eso sí, harto de tanta pregunta sobre su estado de forma, estalla: «Parece que he perdido en primera ronda. Dejémonos de problemas y busquemos jugar bien, jugar con alegría y jugar como yo sé, agresivo y con intensidad». «Me está faltando tranquilidad y la tengo que conseguir. Y lo voy a hacer», asegura elevando los decibelios al final de la frase. Decibelios de confianza, decibelios de convencimiento.

«Confío en subir con la exigencia; cuando me han exigido más, lo he dado». Aviso para navegantes sepultureros. Y qué mejor forma de espantar fantasmas que buscar las semifinales ante Robin Söderling, su único verdugo en París, el único tenista que se aproximó a la red sin felicitar a Nadal por su triunfo. Hace un año selló su título ante el sueco y ahora quiere que le enseñe el camino hacia la reedición.

Y lo encuentra. Por la vía rápida, sin dudas, ni siquiera en el desempate final, tan distinto a los jugados ante Isner hace solo ocho días. Una eternidad. «A veces, tienes que disfrutar del sufrimiento. Los mejores jugadores consiguen subir su nivel la mayoría de las veces porque, si no, no serían los mejores. Yo lo he conseguido», sentencia el número uno.

Abre la bolsa y empieza a vislumbrar el lanzacohetes. «He jugado a mi nivel bueno sobre tierra. He recuperado lo que, normalmente, es mío». Se asoma el bazoca. «Hoy he jugado bien, a muy buen nivel, pero me quedo con la actitud de todos los días, sin encontrar soluciones seguir pensando que las iba a encontrar». Se intuye el tanque.

La derecha ya gobierna. El revés ya no falla. El saque, sin potencia pero con control, ya cumple. Y Andy Murray, el eterno aspirante, se desespera. Nadal, que entregó dos sets a Isner en su debut, no ha concedido ninguno más en cinco partidos. «Si comparamos mi semifinal con los problemas que tenía hace una semana, todo es totalmente diferente». A punto de pelear por el trofeo, «Nadal ya se reconoce en el espejo», se lee en *El País*.

«No estaba jugando bien. Las cosas, por suerte, han cambiado». Por suerte, no. Por la vía criminal. Por esa cabeza privilegiada que forjó Rafael y disfruta Nadal. «Y ahora estamos aquí, en la final, que es todo para ganar. Ya, a olvidarse de la ansiedad, a olvidarse de los problemas, y a olvidarse de la presión de no querer perder. Ahora no, ahora juego para ganar».

Por cierto, séptima final consecutiva en 2011. «Está siendo un año fantástico. Lo único que hace que no parezca tan bueno es un jugador que lo está haciendo mejor que yo». Ese tenista es Novak Djokovic, que se enfrenta en la otra semifinal a Roger Federer. «El mejor jugador del mundo a día de hoy contra el mejor jugador de la historia. Yo, si fuera espectador, lo miraría», aconseja Rafa. Consejo certero.

El duelo no decepciona. Djokovic, invicto y en apariencia invencible, elige jugar de tú a tú a Federer. Nada de largos peloteos, mejor intercambiar pelotazos. Esquivar resistencia, escoger velocidad. Que no jueguen piernas y pulmones, que decidan las muñecas. Y ahí, en el terreno de la precisión, del tacto, del terciopelo, siempre gobierna el mismo artista. Roger dibuja una victoria digna de su mejor época, Novak dice adiós a una racha inmaculada de 43 triunfos.

Djokovic pierde, y Nadal respira, cómo negarlo. Él no cometerá el error del serbio. Nunca lo ha hecho, ni siquiera cuando se sabía superior a Federer en la final de 2008, la última vez que la Philippe Chatrier les cruzó. Nunca lo hará. «En lo único que puedo pensar es en aplicar mi juego a rajatabla y durante todo el tiempo que sea necesario».

Sabe a quién se enfrenta. «Un tipo que lleva dieciséis

Grand Slams, que lleva mil años estando entre los dos mejores del mundo, el tipo que ha sido mejor jugador de la historia, el tipo que tiene todos los récords que él ha conseguido». Pero también posee algo que nadie más disfruta… La piedra filosofal, el santo grial: sabe cómo derrotarle una vez más, la enésima vez, pero nunca, nunca la última.

«Es la final que deseaba», susurra Federer, mientras otea el último muro por derribar. La muralla definitiva. No es lo mismo ganar en París sin Nadal, como en 2009, que frente a él. «Para que una final de Roland Garros sea verdaderamente especial, hace falta que Rafa la juegue». Y el helvético juega bien, muy bien de hecho, pero en los momentos decisivos se repite la historia interminable: Roger duda, Rafa decide.

Sucede con bola de set en el primer parcial, seguida por siete juegos consecutivos del mallorquín. Se repite en el desempate del segundo, en el que el suizo desaparece. Reaparecerá en el tercer set… para claudicar definitivamente cuando mueren sus tres bolas de break al inicio del cuarto. Enfrente, el de siempre.

Enfrente, Nadal, el mejor tenista que divisó jamás la tierra batida. No la pisa, la humilla. Enfrente, Rafael, «el jugador que más partidos gana jugando mal». ¿Por qué? ¿Cómo? «Si lo supiéramos, seguramente habría más de un Nadal. Si supiéramos cómo es capaz de cambiar la dinámica y llegar a su mejor nivel… Yo no lo sé. Supongo que es una calidad brutal y, sobre todo, una fuerza mental fuera de lo común», radiografía Pablo Andújar.

Donde otros fracasan, él triunfa. Donde otros se entregan, él se crece. «Los partidos en que uno juega mal y sigue ganando tienen mucho valor. Más valor que cuando uno gana jugando bien. Cuando uno juega bien, ya se da por supuesto que las cosas van a salir bien. En cambio, cuando uno juega mal, entra en juego la lucha, el espíritu de superación, la ilusión por la competición y por pelear hasta el final. Luchar, correr e intentar pasar el día como sea».

Fin a 15 días en los que París vio a su rey trabajar y sufrir como un lacayo. «No creo que todo el mundo esté capacitado para superar lo que yo he superado tras la primera semana». Ni para coronarse hexacampeón, a la altura del mayor mito que vislumbró jamás la Philippe Chatrier. «Federer hizo su mejor partido sobre tierra, pero no sirvió de nada. Nadal es asombroso, increíble. Los rivales deben pensar que se enfrentan a un monstruo. El tenis no puede ser mucho mejor. Pura clase», escribe Björn Borg en *Expresen*.

Fin a dos semanas en las que el capataz se vistió de peón, con un mantra interiorizado hace mucho tiempo: «Aquí, solo jugando a morir cada punto puedes llegar a algo. Yo fuerzo la máquina en cada pelota, porque esto no es un deporte para especular». «El auténtico Rafa es tanto el Rafa que gana y juega bien como el Rafa que sufre y no juega tan bien. Ambos *Rafas* son auténticos *Rafas*. Me entrené, me concentré y me motivé pensando que las cosas cambiarían». Y cambiaron.

Termina un Roland Garros escrito con letra de médico, sí, pero firmado con rúbrica de leyenda. «Para mí es algo muy especial igualar los seis títulos de Borg, por supuesto, pero para mí lo más importante es ganar Roland Garros. Es un honor poder decir que tengo tantas victorias aquí como Borg, pero la verdadera satisfacción viene de todo el trabajo que has hecho para llegar hasta aquí. Así que voy a seguir trabajando para estar aquí el próximo año e intentar jugar bien de nuevo».

Jugar bien de nuevo. O mal, pero siempre combatiendo. «Coño, hoy tengo una granada de mano y una pistola pequeña, y me voy a la guerra contra tíos que tienen tanques, bazocas, lanzacohetes... pero con esto voy a luchar hasta el final». Siempre compitiendo. «Es como si hubiese plan A, plan B... y al final, plan C. Este último es la vía criminal. Me voy a dejar la vida y voy a ganar». Siempre superándose. «Aceptar, caer y levantarse».

Lo ganó el 5 de junio de 2011, pero todo empezó mucho antes...

Rafael crecía más rápido que el resto de los compañeros de su generación. Su tenis maduraba a la misma velocidad que su cabeza. Aunque aún guardaba la inocencia de un niño ilusionado con adentrarse en los rincones de fantasía de Eurodisney, no perdía la perspectiva de cuál era la arista que soportaba su futuro: la raqueta. Después de su estancia durante una semana en el parque temático de París, en julio de 2002 viajó hasta Gandía para retomar la competición y reintegrarse en el grupo de la Escuela Balear del Deporte, a las órdenes de Toni Colom.

Su ausencia en el circuito le había impedido participar en el Future de Elche, aunque aún conservaba en la retina su primer éxito en Alicante.

—Colombo, ¿quién ganó la semana pasada?

—¿En Elche? Iván Esquerdo.

—Genial. ¿Está aquí, verdad?

—Sí, está inscrito.

—Me gustaría entrenar con él.

Ni un detalle sin atar. Rafael no dejaba que se le escapara absolutamente nada. Necesitaba recuperar las mismas sensaciones que le permitieron levantar su primer título dos semanas antes y para ello sabía que era imprescindible medirse ante el jugador más en forma en aquellos momentos. «Nadal solía preguntar quién había ganado el torneo de la semana anterior para poder entrenar con él. Toni Colom se acercó, hablaron conmigo y entrenamos juntos. Rafa sabía que el que ganaba estaba con ritmo y quería pelotear con él», recuerda Esquerdo.

Reactivar las articulaciones, conectar la cabeza y desbloquear la muñeca eran los principales propósitos que perseguía en aquellos intercambios, tras unos días de desconexión familiar. Después de veinte minutos de peloteo, Nadal se dirigió a su entrenador:

—Pregúntale si quiere jugar un set.

—Hombre, Rafa, piensa que viene de jugar la final y no sé si querrá jugar un set...

—Necesito jugar con él, Colombo.

—Vale, vale. Le pregunto.

Esquerdo aceptó. Los dos mantenían su servicio hasta el noveno juego de aquel duelo amistoso, en el que Nadal acabó rompiendo el saque para ganar 6-4. «Colombo, ya estoy preparado para hacer un buen resultado esta semana». Fue la confesión de Rafael nada más despedirse de su compañero de entrenamiento, que aún conserva en la memoria el reto que cruzaron después de aquel intercambio: «Hemos ganado un torneo cada uno. Tú, Rafa, en Alicante; y yo, en Elche. A ver quién gana esta semana y deshace el empate».

Pero la apuesta tuvo que prolongarse. Tanto Nadal como Esquerdo cedieron en las semifinales de Gandía. El manacorense, que había encadenado ocho victorias consecutivas en el circuito de Futures por primera vez en su carrera, se medía al marroquí Mounir El Aarej en la antesala de la final. Dominaba 7-6 y 2-1 el marcador, pero no cerró el partido. «Fue una derrota inesperada. Parecía que tenía la posibilidad de encarar una nueva final, pero el partido se torció. Aunque el resultado no dejaba de ser sorprendente, porque Rafa llegaba sin haber entrenado, después de las vacaciones en París», observaba desde la grada su tutor.

Precisamente Toni Colom estaba a punto de confirmar que en sus manos tenía, en préstamo, a un jugador diferente. Aún decepcionado por el varapalo, Rafael hizo un gesto a su entrenador. Debía acompañarlo al vestuario. «Cuando alguien pierde un partido, no tiene ganas de hablar sobre ello. Pero Rafa, después de perder, él mismo me pidió que le acompañara a la caseta. Allí quiso analizar por qué se le había escapado el partido, dónde se había podido despistar, qué fue lo que no pudo controlar del rival, si el otro jugó mejor... La mayoría de jugadores cuando pierden tienen la cabeza bloqueada».

En aquel vestuario se firmó con sangre un pacto. En la siguiente prueba, con cita en Vigo, trataría de demostrar que lo de Alicante no había sido un oasis en el desierto. La tierra batida gallega debía ser el punto de inflexión definitivo para proclamar a los cuatro vientos que aquella raqueta procedente de Mallorca no tenía límites. Empezaba a grabarse a fuego una frase que repetiría hasta la saciedad en los años posteriores: «Aceptar, caer y levantarse». Filosofía Nadal.

Aunque el rostro de Rafael aún no podía esconder su inocencia pueril, el aura de Nadal poco a poco comenzaba a tomar todos los componentes que le definirían en el futuro: ducha de agua fría previa al partido, ánimos constantes antes de saltar a la pista, botellas perfectamente alineadas a los pies de la silla, pasar por la red después que su rival en los cambios, prohibido pisar las líneas... todos los hábitos y rutinas que distinguirían al campeón años más tarde en los grandes escenarios del circuito.

Quince días después de aquella conversación en el vestuario de Gandía, Rafael preparó la maleta para desplazarse rumbo a Vigo. En el Club de Campo de la ciudad gallega, estaba fijado su próximo objetivo. Colgaba el cartel de octavo cabeza de serie y el día del estreno estaba reservado ante un rival procedente de la fase previa, el portugués Pedro-Leao Saraiva. Ganó fácil. Solo en cuartos de final sufrió algo más de lo previsto hasta arribar a una nueva final. Marc Fornell, Solon Peppas y

Lamine Ouahab completaron los peldaños hasta la última ronda.

El sábado 17 de agosto de 2002 una fina lluvia despertó el norte de España. Mientras Rafael preparaba cada detalle para saltar a la pista en su segunda final en un Future frente al argentino Antonio Pastorino, cuatro años mayor que él, el manto de cenizas se asentó en el cielo de Vigo. Recién entrada la tarde, Nadal arrancó la batalla sobre la arcilla aún húmeda del club gallego. Los colores grisáceos del decorado sintonizaban con el nivel de juego de Nadal. Su raqueta no desprendía los golpes de siempre y su tenis estaba lejos del de los días anteriores. La ausencia de sensaciones se tradujo en el resultado de la primera manga: 4-6.

La lúgubre idea de dejar escapar el título le conectó al partido. En su cabeza volvieron a sonar aquellas palabras que había interiorizado en sus genes: «Aceptar, caer y levantarse». Agarrado a la tierra batida, estiró el segundo set hasta el tie-break e incluso tuvo que salvar una bola de partido en contra. El encuentro se había trasladado a la batalla física. A la guerra de desgaste. Al todo o nada. Nadal cerró el puño. El parcial era suyo después de un desempate a vida o muerte. Sin tiempo para más, la noche sorprendió a los protagonistas y el partido quedó aplazado para el día siguiente.

Los pronósticos meteorológicos no eran más optimistas que la mañana anterior. De nuevo, las gotas empaparon las ventanas de su habitación. No era una situación habitual. Un solo set decidiría aquel domingo si sería capaz de confirmar su crecimiento con un nuevo trofeo. Antes de la reanudación de la final, programada para la tarde, Rafael se acercó a la playa de O Vao, a solo unos metros del club, para dar un paseo y repasar las últimas pinceladas antes de saltar de nuevo a la pista.

«Yo, sin haber sido jugador, he notado que chicos de entre veinte o veintidós años podían cuestionar cualquier tipo de ayuda que quisiera aportar, pero con Rafa no era así», se confiesa Toni Colom. «Él, que tenía más experiencia que yo, llevaba años compitiendo y en el entorno de una familia deportista, mostraba una actitud de escuchar al máximo lo que desde fuera se le dijese. Este perfil dócil no es nada habitual en un deportista. Sorprendía que siendo el mejor de su edad e incluso mejor que gente mayor, él seguía prestando mucha atención a cualquier tipo de consejo o ayuda externa».

Dócil, pero inquieto. Cuando no llevaban más de quince minutos intercambiando opiniones, Rafael observó algo a lo lejos que llamó su atención. Era un conjunto de rocas. De repente, lanzó una apuesta a su acompañante de ruta:

—Colombo, ¿ves aquella piedra de allí?

—Sí, ¿qué pasa?

—Si la levanto y hay un cangrejo, gano el partido.

Sin dar tiempo a su interlocutor para responder, emprendió la carrera hacia la zona rocosa para destapar su pronóstico. «Aunque parezca increíble, había un cangrejo debajo de aquella piedra. ¿Cómo podía estar tan seguro? La verdad es que yo no entendía nada. Rafa siempre ha sido un amante del mar y de todo el entorno marino, pero me sorprendía la seguridad que demostraba en ciertos aspectos, la misma que luego me transmitía en la pista».

Solo era una simple anécdota. Una muestra de que tenía un don especial, la seguridad y autoconfianza necesarias para forjar una carrera deportiva de éxito. Pero antes debía superar un último parcial frente a Pastorino. Resolver la deuda pendiente. El juicio final. Nadal saltó a la pista con la agresividad del primer set y la capacidad competitiva del segundo. Asfixió a su rival y aprovechó la única oportunidad que se abrió en el parcial. Un break fue suficiente para cerrar el partido. 6-4.

Había ganado la batalla. Contra Pastorino, contra el

tiempo y contra sí mismo. Casualidad o no, aquel cangrejo de O Vao había presagiado el fin de una guerra ganada. La metáfora de un corazón de guerrero. «De pequeño, a Rafa le caracterizaba no dar nada por imposible y creer que podía ganar a cualquiera», sentencia Colom. Rafael volvió a hacerlo. Descodificó su propio genoma: «Aceptar, caer y levantarse». Filosofía Nadal.

Capítulo XI

Roland Garros 2012
¿Extraterrestre? ¿Gladiador? ¿Niño prodigio?
Un chico normal

> «Rafa es un niño grande. Un niño grande que
> le pone muchísima pasión a lo que hace.»
>
> Carlos Moyá

«Así es este juego». Rafa Nadal acaba de llegar a París consciente de que su duelo con Björn Borg concentra toda la atención. El español comparte con el sueco el récord de títulos en la tierra batida francesa. «¿Te sientes diferente este año porque vas a por un séptimo título o no te fijas en eso?». Ahí está, la primera pregunta de la rueda de prensa. «El año pasado también fue diferente, porque si ganaba igualaba a Borg. Cada año podemos encontrar una excusa para ser distinto. Pero al final, lo único diferente es que es otro año y otro Roland Garros. Este torneo es suficientemente importante por sí mismo, no porque yo ya tenga seis. Tengo mucho más de lo que nunca soñé, pero vengo aquí con la motivación de siempre, con la ilusión de jugar bien y ya veremos qué pasa, ¿no? A veces pierdes, a veces ganas. Así es el deporte y así es este juego».

Sí, el tenis es un juego. Ránkings, premios, rivalidades, polémicas… pero un juego. Y cuando las zapatillas se tiñen de arcilla, se convierte en un juego de uno contra uno en el que casi siempre gana Rafael. Bolelli, Istomin, Schwank y Mónaco: cuatro rivales, setenta y dos juegos conquistados de los noventa y un disputados. Nadal firma en Roland Garros 2012 el mejor inicio de los cuarenta Grand Slams en los que ha participado en su carrera.

«Interiormente me siento mejor. El año pasado jugaba con un pelín más de ansiedad. Terminé agotado mentalmente», tras siete derrotas consecutivas ante Djokovic. Un hombre ansioso. «Ahora se me está haciendo todo más ameno. Me siento feliz en la competición. No estoy sufriendo, sino disfrutando», tras cuatro triunfos inapelables. Un niño animado... que en la pista no distingue amigos de rivales.

Respeto sin condescendencia. Juan Mónaco, añejo camarada y número 15 mundial, encaja diecisiete juegos consecutivos, sin réplica (6-2, 6-0 y 6-0). «En polvo de ladrillo, donde sin duda es el rey, te genera miedo. Es imposible ganarle un punto. Estás jugando contra un frontón y encima le ves desde el primer *game* festejando y agarrando el puño. Verle ganar tanto en polvo de ladrillo, tantos torneos importantes, implica admiración, respeto y, cuando estás jugando contra él, sin duda impotencia y saber que estás jugando contra un animal», claudica tras la somanta el tenista argentino.

Nico Almagro y David Ferrer, compatriotas, tampoco le arrancan un solo set rumbo a la pelea por el título. Ningún parcial y un solo servicio entregado en seis partidos. «Nadal camina y la tierra tiembla a su paso», sintetiza *El País*. «Tengo la sensación de estar en continua progresión, de tener una intención continua de aprendizaje, y eso me hace feliz», asiente Rafael. El niño sigue animado, aunque esperen su émulo y la leyenda.

La gran final vuelve a cruzar a Nadal y a Djokovic, rivales indómitos en el camino hacia la eternidad (nunca antes dos tenistas se retaron en la pelea por los cuatro Grand Slams de forma consecutiva). Hace menos de un mes, cuando ambos se midieron en Roma con la mente puesta en París, la lluvia retrasó el duelo decisivo. Entonces, Rafa hizo tiempo jugando al billar y Novak se entretuvo a los mandos del futbolín. Lo dicho, son como niños...

Hoy, no. Hoy no hay lugar para el ocio. «Es el desafío definitivo», opinan ambos. Objetivos rutilantes al alcance de un solo triunfo. El español busca aventajar a Björn Borg: firmar su séptima victoria en Roland Garros. El serbio, emular a Rod Laver: conquistar 43 años después el verdadero Grand Slam (reunir el mismo año las cuatro grandes coronas del tenis). Campeón en Londres, Nueva York y Melbourne, siempre con Nadal enfrente.

En París, mismos adversarios, diferente vencedor. Pareció que ganaba Rafa, 6-4, 6-3 y 2-0. Pareció que remontaba Novak, ocho juegos consecutivos. Hasta que la lluvia se hartó de pareceres (6-4, 6-3, 2-6 y 1-2, con 15 juegos y 97 puntos para cada uno, caprichos de la estadística) y el lunes dictó sentencia. Break de inicio, para cambiar la dinámica, y la Philippe Chatrier vuelve a postrarse a los pies de su emperador (7-5).

Nadal ha derrotado por fin a Djokovic. Hercúleo. Nadal es heptacampeón de Roland Garros. Histórico. Nadal ha superado a Borg. Memorable. ¿Y Rafael? ¿Qué hizo Rafael la noche antes de tamaña responsabilidad? «Estaba viendo una serie, pero la terminé anteayer y no llevaba ninguna película ni nada, algo raro en mí. Así que me dormí a medianoche mirando unos capítulos de *Songoku*», confiesa entre risas.

«Esta es la verdad. Me encanta *Dragon Ball* desde que era un niño. No tenía nada más y siempre fueron mis dibujos animados favoritos. Aunque he visto todos los capítulos tres veces, me lo puse para olvidarme un poco de todo e intentar dormir. Y funcionó». Anoche, sí. Anoche hubo lugar para la diversión.

Porque Rafael solo es un niño grande, capaz de aprenderse de memoria las parodias de la serie *La que se avecina*. «Lo ve a todas horas. Se ha visto los capítulos diez veces y se sabe todos los monólogos. De hecho los aplica después», cuenta Francis Roig. «Por ejemplo, le gusta mucho una escena en la que sale Amador disfrazado de Elvis Presley y canta: "Ouuuuh yeaaaah, ouuuuh yeaaaah". Y Rafa, sobre todo con su hermana, se pone a hacer el show. Cada vez que algo le gusta dice: "Ouuuuh yeaaaah, ouuuuh yeaaaah"».

Porque durante toda su carrera le ha acompañado un carácter vivaz y despreocupado. Juvenil. «Rafa se lo toma todo como un juego. La capacidad de jugar, que es algo que perdemos demasiado pronto, él la ha tenido siempre», explica Jofre Porta, uno de sus tutores durante la adolescencia.

Un juego. En especial, en sus comienzos, sin aspiraciones desmedidas ni proyectos precipitados. «Jugaba por jugar, por disfrutar. Un tenista tiene que jugar al tenis porque le gusta jugar al tenis. Cuando empieza a pensar en el dinero que gana o en el ránking que tiene… Esto es la consecuencia de jugar bien. Cuando estos son los objetivos, dejas de jugar y te conviertes en un profesional mal entendido. Y esto Rafa no lo ha tenido nunca. Siempre ha disfrutado, porque siempre se lo ha pasado genial jugando».

Porta acompaña su opinión con un ejemplo demostrativo. Nadal tiene trece años y está a punto de disputar la semifinal del Campeonato de España. «Dos horas antes me vino otro entrenador aterrorizado…»:

—Jofre, mira lo que está haciendo tu chaval.

—¿Qué hace?

—¡Está jugando al fútbol!

—¿Y qué pasa? ¿Se ha hecho daño?

—No, no, pero tiene la semifinal en un par de horas.

—Joder, que tiene trece años. Faltaría más que no pudiera divertirse.

—¿Y si luego está cansado?

—Que se joda...

«Esta mentalidad es la que molaba con Rafa. Se divertía sin pensar en el futuro». Y más, si por medio incluía su verdadera pasión, nunca ocultada: el fútbol. «Nadal es un deportista que no escogió el tenis, el tenis le escogió a él. En realidad, le gusta más el fútbol. Cuando haces tan bien una cosa, por inercia acabas ahí, pero Rafa prefiere hablar o ver un partido de fútbol que de tenis, sobre todo si es de su Real Madrid».

Carlos Moyá coincide en esa definición unánime de Rafael: «Sin duda sigue siendo un niño. Él es muy feliz con sus amigos, juega al golf, sale con la lancha, juega a la Play Station... Sí, sí, es un niño. Un niño grande». Y aporta la otra gran predilección de su amigo: las videoconsolas, de nuevo con el fútbol como protagonista. «Se tira al suelo, hace volteretas... Celebra los goles más que un punto de partido. Pero lo hace poco, porque no mete muchos goles».

Sí, Moyá entregó pronto el testigo a Nadal, pero solo con una red de por medio. «A tenis me ganaba, pero luego se la devolvía en la Play. Ahí, pasaba por caja». 1-0, 2-0, 3-0, 4-0, 5-0, 6-0 y llega el gol del honor... y de la celebración de Rafa. Grito, carrera, puño al aire y flexiones, acompañado con una frase lapidaria de su amigo Mónaco: «6-1, boludo. ¿Qué mierda *festejás*?».

Pero si algo llama la atención de esos duelos virtuales a muerte o defunción son las apuestas que tenían que pagar los perdedores. Con ingredientes recurrentes: calzoncillos, flexiones y público asombrado. «Todas eran muy similares, siempre en calzoncillos. Tocar el ascensor y esperar; si se abría y había alguien, te aguantabas. Ir de pasillo en pasillo por toda la planta. Y sobre todo bajar a hacer flexiones al hall o al restaurante del hotel», recuerda Moyá. «En Umag (Croacia), en 2003, incluso salimos en bolas a la calle. Era de noche y no había nadie, pero siempre había riesgo de que apareciese alguien».

Al año siguiente, en la previa de la final de la Copa Davis de Sevilla, sí hubo público de renombre, como recuerda Xavi Segura, encordador del equipo español. «Las parejas eran Moyá y Ferrero contra Nadal y yo. Perdimos y la apuesta era bajar en calzoncillos a hacer "el perrito" en el hall del hotel. Eran las once de la noche y justo llegó toda la junta directiva de la federación de una cena. Al menos nadie se fijó en mí: todos los ojos iban hacia Rafa. El tío estaba haciendo "el perrito" y tuvimos que dar una vuelta por todo el salón con Juanki y Charly partiéndose de risa».

Melbourne y su lujoso hotel Crown también albergaron su propio espectáculo en varias ocasiones. Madrugada en las antípodas. Dos aficionados españoles llaman al ascensor y al abrirse la puerta aparecen Rafa Nadal y David Ferrer.

—De puta madre. No os mováis de aquí.

—¿Cómo?

—Por favor, tenemos una apuesta y tenéis que estar aquí para que sea más divertido. Hacednos ese favor.

Segundos después, en el ascensor contiguo, aparecen Carlos Moyá y David Nalbandian. Cómo no, en calzoncillos, y la sorpresa inicial de los imprevistos espectadores da paso al asombro sonriente. «Vaya putada», se le escapa a Moyá al comprobar que, a pesar de las horas, hay público para dar fe de la apuesta. «Hacías las flexiones y te ibas con la cabeza agachada, sin mirar a ningún lado».

A veces, entre la algarabía de los triunfadores y la vergüenza de los perdedores, la broma se convertía en travesura, Seguridad mediante. «En Australia casi nos echan del hotel, porque hacíamos ruido aposta para que todo el mundo mirase. Y claro, vieron a dos tíos haciendo flexiones y a cuatro o cinco gritando y vinieron a ver qué pasaba». Disculpa apresurada y a repetir en cuanto se pudiese. «Nos decían que se nos iba la olla, pero eso le ponía más interés a las partidas».

Precisamente Moyá y Nadal fueron los dos protagonistas de una anécdota hilarante en Estados Unidos. Nueva York propone y la imaginación canalla de Charly dispone. «No sé, se me ocurrió así. 2005 debía ser. Así es Rafa, un chaval inocente, que le estoy tomando el pelo y el tío pica, pica y pica». «Historia divertida», sonríe años después Nadal. «Mi inglés evidentemente a día de hoy no es fantástico, pero entiendo un poco más que antes. En aquellos momentos era realmente malo y yo seguía muchísimo la Fórmula 1 y a Fernando [Alonso]». Allá vamos...

«Serían las seis o las siete de la mañana en Nueva York. Era una carrera importante, pero en Estados Unidos la Fórmula 1 no tiene tanta repercusión y no va en abierto. Siempre lo dan por algunos canales que normalmente no están en los hoteles, pero Carlos, que es un perro de primera categoría, me timó»:

—¿Cómo? ¿Que no estás viendo la carrera?

—No tío, no la dan en ningún sitio.

—¡Cómo que no! Yo la estoy viendo aquí arriba. No veas el adelantamiento que acaba de hacer Alonso...

—¿Qué dices? ¿En serio?

—Que sí, coño. Pon el canal 63, anda.

60, 61, 62, ¡63!

—Pues yo pongo ese canal y no dan nada.

—¿Tienes el mando especial?

—¿Qué mando? Yo no veo ningún mando especial aquí.

—Claro, eso es. En los hoteles puedes cambiar de canal, pero no puedes sintonizar la tele. Tienes que llamar a recepción y que suban un mando a distancia especial, el «special remote control».

—Hostia, llama tú, que me da vergüenza.

—Venga Rafa, espabila un poco, que ya eres mayor de edad.

—Vale, voy. Ahora te digo algo.

Rafael, eternamente crédulo, habla con el conserje. «Con mi inglés, imaginaos...», sonríe al rememorarlo. «I need the special remote control to watch Formula One», enuncia su mente. Solo su interlocutor sabe qué pronunciaron sus cuerdas vocales. «*Special remote? Sixty Three Channel?*». O algo así.

En recepción no se aclaran. Rafa Nadal, campeón de Roland Garros, llama en plena noche y pide algo incomprensible. El conserje, asustado, se apresura a comprobar qué sucede. «Hasta que sube el tipo ese y me dice: "Aquí no hay *special remote* ni nada"». Desesperado, lo vuelve a intentar con su «amigo»:

—El tío de recepción no tiene ni idea de ningún mando especial. ¿Cómo va la carrera?

—Espectacular. Schumacher y Alonso todo *picaos*.

—Cabrón, déjame subir.

—No, tío, no seas pesado, que estoy aquí con mi novia y está durmiendo.

Segundo intento, segundo fracaso. El conserje recorre sin ningún éxito la lista de canales y agota el repertorio de explicaciones. «Casi media hora buscando y llamando a recepción. Volvió loco al tío de abajo. Subió, bajó, le hizo volver a subir... Yo me lo imaginaba y me tiraba por los suelos», se desternilla aún hoy Moyá.

Y a la tercera, la vencida. «Al cabo de media hora de lucha: "Va, tío, subo". No podía aguantar más». Escaleras arriba, de dos en dos, Nadal da por hecho que verá por fin a Alonso. El final de la carrera, lo mejor. «Subo y... ahí estaba, partido de risa en la puerta». ¿Y eso? «Lo seguía por internet. Con comentarios escritos, sin imágenes». Entonces, por mucha amistad que les uniera y no sin razón, le sale un insulto del alma: «Qué cabrón eres, macho».

Así es Rafael, un niño grande. «Para algunas cosas es un niño y para otras, muy maduro. Al tío le gusta sentirse niño, jugando al fútbol con sus sobrinos o echando unas partidas a la Play, pero a la vez es una persona que toma decisiones, que se involucra en sus negocios, que opina de política... Todos nos hacemos grandes, pero Rafa todavía tiene corazón de niño», radiografía Francis Roig.

Así es Nadal, un mito. ¡Hasta nunca a las tres finales de Grand Slam consecutivas entregadas a Novak Djokovic! ¡Hasta siempre al anterior rey de la arcilla parisina! «Borg hizo cosas asombrosas. Borg cambió nuestro tenis. Borg probablemente fue la primera gran, gran estrella. Borg hizo este deporte más grande. Todos deberíamos darle las gracias por lo que hizo», destaca el nuevo monarca. Adiós, Björn; hola, leyenda.

La prensa internacional loa su proeza con un sinfín de adjetivos superlativos. «Pocas opiniones pueden ser absolutamente ciertas. Pero en el tenis hay una incuestionable: nunca ha habido un jugador mejor que Rafael Nadal en tierra batida», sentencia, allende los mares, *The Wall Street Journal*. Y nadie se atreve a desmentirlo. Unanimidad.

Pregunta para Nadal. «Para todos eres extraterrestre, un gladiador, el niño prodigio... ¿Con cuál te quedas?». Respuesta de Rafael: «Con ninguna. Me quedo con que soy yo, un chico normal. Lo que pasa es que juego al tenis». Por cierto, ¿saben lo que hacen los chicos «normales» al levantar su séptima Copa de los Mosqueteros mientras el mundo entero observa y rinde pleitesía? Golpearse con ella en el ojo. «Fue un golpe duro, muy doloroso, pero no era el momento para llorar». Pues eso: un niño grande.

Lo ganó el 11 de junio de 2012, pero todo empezó mucho antes...

Julio de 2001. Menorca. El Club de Tenis Ciutadella congrega a muchos de los grandes talentos del tenis nacional en torno al Campeonato de España. Álex Corretja, Tommy Robredo, Pato Clavet, Fernando Vicente, Santiago Ventura o Iván Navarro son solo algunos de los nombres más destacados que forman parte del cuadro final. Entre ellos se encuentra también uno de los talentos más prometedores del deporte de la raqueta.

—¿Quién es ese chavalito?

—Es Rafael Nadal, el sobrino de Miguel Ángel, el defensa del Barça.

—¿Ah sí? ¿Es él?

—Sí, dicen que va para estrella.

—¿No le pega nada mal, eh?

—Ya ves. Vaya intensidad.

—¿Qué edad dices que tiene?

—Quince años...

Mientras tratan aún de amoldarse a las pistas menorquinas, Santi Ventura y algunos de sus compañeros de vestuario charlan en el club. Poco a poco van desgranando las virtudes del futuro campeón. «Lo vi allí por primera vez y lo que más me sorprendió fue la forma de entrenar que tenía siendo tan pequeño, sobre todo la intensidad que le ponía. Estábamos en Baleares, en verano, en un campeonato de España... Y todos estábamos tranquilos, en un buen sitio, pero él seguía con la intensidad a tope. Nosotros tan relajados y a él lo veías que no paraba». Profesionalidad.

Lo ratifica Toni Colom, que años antes se encontró con un adolescente distinto a los demás en la Escuela Balear del Deporte: «Me sorprendía su intensidad. Además de ponerla en los partidos, también la ponía en los entrenamientos y en cualquier actividad que organizásemos. Si algún día llovía y teníamos que echar un partidillo, Rafa se lo tomaba más en serio que nadie. Desde entonces percibí que Nadal tenía como hábito ir a tope, a una intensidad muy alta, y eso era lo que le distinguía del resto». Competitividad.

Así lo recuerda también otro de sus compañeros de vestuario en sus primeros torneos, Carlos Cuadrado: «Rafa calentaba antes de los partidos muchísimo tiempo, unos cuarenta y cinco minutos o una hora. Normalmente la gente calentaba bastante menos y guardaba fuerzas para la competición. Pero él no solo calentaba más, sino que después del encuentro volvía a entrenar como si fuera una práctica normal, de una hora u hora y media. Impactaba mucho verle». Autoexigencia.

«Normalmente cuando terminas un partido estás cansado y quieres recuperar fuerzas para el partido del día siguiente, pero a Rafa le veías que hacía eso porque su objetivo iba mucho más allá de ganar el siguiente encuentro. Entrenaba con un objetivo a largo plazo y mucho más grande que el de conquistar un Campeonato de España, un Future o un Challenger», continúa Cuadrado. Ambición.

Todas estas cualidades eran fruto de una estricta disciplina y de una intensa rutina de trabajo inculcadas desde niño. «Se juega como se entrena», reza la primera ley de los manuales de estilo de cualquier entrenador, sea cual sea la práctica deportiva. Y el librillo particular de Toni Nadal también recogía esa enseñanza. Sin excepciones. «Yo no creo en las vacaciones. Creo en el trabajo», mantiene el tío de Rafael, que implantó a fuego en su mente aquella capacidad de sacrificio cultivada dentro de la pista durante los entrenamientos y aplicada, luego, en sus partidos.

—Pero, ¿qué hace ahora este chaval?

—No te creo... ¿Está pasando la estera?

—¡Deja eso, que ya lo hará luego el pistero!

Los compañeros de vestuario contemplaban, atónitos, cómo después del entrenamiento Rafael dejaba impecable la pista para el siguiente turno. Una exigencia para cualquier aficionado amateur de club; una rutina que Toni inculcó a su pupilo desde muy joven. Nunca quiso que su sobrino gozara de privilegios respecto al resto de niños con los que compartía sesiones de entrenamiento en el Club de Tenis Manacor.

Ahora ya es demasiado tarde para cambiar su hábito y ha asimilado la costumbre para siempre. «Él, en cualquier club al que va, sabe que lo normal después de jugar es pasar la red para dejar la tierra batida en buenas condiciones para el siguiente partido. Y Rafa, cuando ya había ganado varios Roland Garros y era número uno, pasaba la estera en cada club no profesional que jugaba. La pasaba y la pasa, a día de hoy. En cualquier club que no tenga pisteros», desvelan desde el equipo de Nadal.

Repasar la pista, no olvidar llevar su propia botella de agua o recoger más pelotas que nadie al final de cada entrenamiento son solo una muestra de las jugarretas que Toni le gastaba para forjar la mentalidad del campeón. Pero nada más lejos de la realidad. Exigencia y disciplina. «No considero que le hiciera ninguna jugarreta. Le hacía lo mismo que a mis hijos porque creo en la educación. Lo hacía ya con otros chicos que entrené antes con menos dureza que a él, pero toda la vida he actuado igual. Cuando me implico con alguien intento forzar la situación y que las cosas se hagan bien. A mí me importaba mucho que la gente hablara bien de Rafael, porque soy su tío. Igual que con mis hijos me importa mucho que la gente considere que están bien educados», explica el propio Toni.

Esa sólida doctrina fortificó los cimientos de Rafael. Cada historia del anecdotario familiar reforzó la capacidad de sacrificio del futuro campeón. Valgan tres pequeñas escenas como ejemplo. La primera se remonta al año 2000 en Tarbes (Francia). Allí se juega Les Petits As, considerado como el campeonato del mundo sub 14. Los jóvenes aspirantes son tratados como profesionales. Tanto que disponen de atención personalizada, guardaespaldas, personal de ayuda...

«Imagínate la parafernalia, como si fuesen profesionales», recuerda Jofre Porta. Después de una de sus victorias, uno de los empleados se acercó a Rafael para llevarle la bolsa. Sin dar tiempo a que se la colgase en el hombro, Toni se dirigió a su sobrino:

—Rafael, coge la bolsa o te vas para Manacor.

El problema es que su joven pupilo no hablaba francés y solo le quedaba tirar de la bolsa para que el empleado del torneo interpretase que debía devolvérsela.

—Por favor, dámela.

—No, vestuario. Vestuario.

—¡Que no llego al vestuario! ¡Que me voy para Manacor!

«Un niño lleva su propia bolsa. Y un profesional, también. Esta forma de educar es la base para crear un tío duro y humilde», cierra Porta. «Le dije que cogiera la bolsa, pero no dije que si no la cogía nos íbamos a casa. No soy tan idiota. Y se lo dije porque considero que a un niño no le tiene que llevar una persona mayor la bolsa», puntualiza Toni.

Sus mentores no permitirían ni asistentes para llevar la bolsa, ni quejas por el estado de la pista o de la raqueta. Adaptarse a las circunstancias adversas y afrontar los problemas era fundamental en la cancha. Nueva anécdota en la memoria de Porta: «Tenía 13 años y fuimos a jugar un torneo al País Vasco. Los primeros días había demasiada gente y por allí había una pista que no estaba ni construida. Estaba asfaltada, como una carretera, pero no estaban marcadas las líneas ni tenía red, solo los dos postes. Puse una cinta de obra que mangamos y, mientras todos se peleaban por las pistas de tie-rra, nosotros nos íbamos a entrenar ahí. Todos se desco-jonaban de nosotros, porque era un poco absurdo, pero para nosotros era normal buscar cosas así».

Y para encontrar la tercera y definitiva anécdota hay que viajar hasta al 2 de febrero de 2002. Rafael ya tiene dieciséis años y por primera vez en su carrera alcanza, en Hamburgo, la final de un Challenger. Al otro lado de la red, Mario Ančić, un jugador que no es mucho mayor que él, pero que ya cuenta en su palmarés con algún torneo de ese nivel. Y, por si fuera poco, presenta un ca-ñón en su brazo derecho, así que Nadal no podía con el bombardero croata.

De repente, en medio de un punto, se dirigió hacia el banquillo. Abrió la bolsa, soltó la raqueta y agarró otra. Sin embargo, al volver a la pista, dio media vuelta, recu-peró la primera raqueta, le colocó el antivibrador y si-guió jugando. Finalmente, perdió 2-6 y 3-6, y nada más terminar el partido Jofre le preguntó, intrigado, por la misteriosa acción:

—¿Qué hiciste, Rafa?

—Pensé que la raqueta me iba mal, pero me acordé de lo que Toni y tú me decís: que la raqueta nunca tiene la culpa, que la culpa es mía. Así que he jugado con la misma.

Sorprendido por la madurez del joven tenista, Porta se fijó en la raqueta. Efectivamente, estaba partida: «Te-nía el marco roto. Y él, por obsesión, por disciplina, acabó jugando con una raqueta que realmente estaba mal. Pero así es su fortaleza mental».

Rafael aprendió a apreciar sus herramientas de juego. Tanto que jamás se le ha visto destrozar una ra-queta en un partido, ni siquiera en un entrenamiento a puerta cerrada. Su entorno familiar se preocupó de que valorara todo su material, incluso cuando sus patroci-nadores ya le suministraban cantidades de sobra para afrontar con garantías todo el año. Rafael ya bordea la mayoría de edad y en una eliminatoria con el equipo de Copa Davis, Toni Nadal sorprende a todos los presentes en el vestuario después de concluir un entrenamiento:

—Rafael, ¿qué haces?

—¿Cómo?

—No te quites las zapatillas así, hombre. ¿No ves que las deformas y las acabarás rompiendo?

Uno de los testigos de la escena es Xavi Segura, encordador del combinado nacional. «Rafa se había sentado y se quitó las zapatillas sin desatarse los cordones. No sabes la bronca que le metió su tío. Inmediatamente pensé: "Este chico debe tener acceso a cincuenta zapatillas como esas al año... ¿Qué más da que se las quite así o no?". Pero esa anécdota, al final, es reflejo de la cultura, la disciplina y la educación que ha tenido siempre.»

Una década más tarde, Rafael solo tiene palabras de agradecimiento ante aquello que, a los ojos del resto de los mortales, parecían jugarretas de su tío: «Gracias a él hoy tengo este autocontrol. Me controlo en la pista y soy positivo. Gracias a él he resistido la presión estos años, porque he entrenado con presión toda mi vida. De pequeño sí que fue duro conmigo, pero creo que todo eso me ha ayudado decisivamente en lo que he conseguido en mi carrera deportiva. Quizás a la hora de aguantar según qué tipo de dolores, según qué tipo de partidos, según qué tipo de presión, ha sido decisivo tener a alguien como Toni detrás, que desde pequeño me ha llevado hasta el límite muchas veces», confesaba en Televisión Española.

«Toni le machacaba y Rafael lloró muchas veces, pero aguantaba y aguantaba», revela Rafael Nadal, abuelo, en el *Diario de Mallorca*. Pero él, como patriarca, y todo el clan familiar saben que sin todas esas lágrimas y sin cada una de estas historias sería imposible entender la leyenda del campeón que una década más tarde de aquel Campeonato de España levantaría su séptimo Roland Garros y derrocaría a Björn Borg. De Menorca, a París. De aquellos intensos entrenamientos antes y después de los partidos, a esta Copa de los Mosqueteros. La séptima.

Capítulo XII

ROLAND GARROS 2013
Doce grandes para doce pilares

«Cuando juego levanto una muralla a mi alrededor, pero
mi familia es el cemento que consolida la muralla.»

RAFAEL NADAL

*E*n medio de la batalla, donde solo retumba el eco de
los cañones golpeando contra las cuerdas de la raqueta,
el guerrero necesita reforzar su confianza tras los muros de la Philippe Chatrier. Nadal, sin apenas aliento y
herido después de casi cuatro horas de lucha, se resiste a
doblar la rodilla sobre la arena. Se niega a entregar su
tierra. La tierra batida de Roland Garros. Aunque al otro
lado se encuentre otro gladiador indómito: Novak Djokovic.

Esta vez Rafael necesita más que nunca de ellos. En
un rincón de la grada, perfectamente identificado desde
antes de saltar a la pista, se encuentra su familia, su
equipo, sus amigos. Sus doce pilares: Sebastián Nadal,
Ana María Parera, María Isabel Nadal, María Francisca
Perelló *Mery*, Toni Nadal, Rafa Maymó *Titín*, Francis
Roig, Carlos Costa, Benito Pérez-Barbadillo, Jordi Robert *Tuts*, Joan Forcades o Ángel Ruiz Cotorro.

«Si Rafa jugara y no viera a nadie de su equipo, tendría una sensación rara. Es muy, muy, muy de equipo.

Es un jugador que necesita ver a los suyos ahí, le gusta verlos a todos, y cuantos más seamos, más arropado se siente. Le gusta mucho sentirse en equipo, jugar en equipo», explican desde su banquillo. Coincide Rafael: «Gracias a ellos siento un poquito más de energía y creo un poquito más que lo puedo conseguir. Y gracias a todos ellos, cuando el partido está complicado, sabes que tienes el apoyo de mucha gente fuera y te dan un plus».

Pero esta vez algo no iba bien. Las caras no transmitían la confianza de siempre. Aquellos rostros cercanos no sustituían el aire que faltaba en sus pulmones como en otras ocasiones. Y nada más abandonar la arcilla, el propio Nadal reproduce aquella inusual escena en el vestuario:

—Beni, en el quinto set miré al palco y te vi hundido.

—¿Yo? —replicó su jefe de prensa.

—Sí, con las manos en la cabeza. El único que confiaba era Francis.

«No es que yo fuese el único que pensaba que podía ganar. Cuando entrenas a Rafa, siempre piensas que puede ganar. Siempre. Al principio, cuando viajaba con él, esperaba que llegara el día en que perdiera para estar preparado. Pero no lo hacía. Desde entonces con Rafa no estoy preparado para perder, porque nunca piensas que puede pasar. Te llevas un chasco tan grande que, prácticamente, te quedas más hundido que él. No te entra en los planes», se explica Roig.

Esta vez el peligro es muy real. Un viejo fantasma de un pasado no tan lejano asomaba de nuevo en París. Novak Djokovic, un obstáculo que parecía ya olvidado, se presentó sin avisar a las puertas de Roland Garros. Después de siete meses apartado de la competición, Nadal volvió a encontrarse con el serbio en el Masters de Montecarlo, un escenario donde acumulaba 46 victorias consecutivas y soñaba con sumar su noveno título.

Sin embargo, Djokovic reafirmó su condición de antihéroe ese 21 de abril de 2013. Y lo peor es que unas semanas más tarde estaba dispuesto a prolongar su fama en Roland Garros, el único grande que le faltaba en su vitrina para completar la colección del Grand Slam. Especialmente si eso significase derribar en semifinales al gran dominador de la arcilla francesa. Al campeón de siete Copas de los Mosqueteros. ¿Sería capaz de repetir el serbio en París? ¿Asumiría Novak de nuevo el papel de pesadilla para Rafael?

Francis Roig no tenía dudas. Ni siquiera las siete derrotas seguidas encajadas le hacían titubear: «Rafa no jugó un buen tenis en 2011, y no porque Djokovic no le dejara, que también fue así en parte. Si Rafa hubiera estado bien, no creo que la historia hubiese sido así. Yo le comenté que lo peor fue que restó muy por debajo de sus posibilidades. Al año siguiente, en Australia me escribió un *whatsapp*: "Qué diferencia cuando restas bien, la pelota corre y al rival lo ves lejos. Todo es mucho más fácil". Y evidentemente es así».

Escuchar, observar y aprender, tres conceptos que Rafael identificó desde que daba sus primeros golpes en Manacor. Los triunfos y los títulos del pasado no cegaban al campeón, siempre dispuesto a mejorar: «Hay que querer hacerlo. Quiero hacerlo y tengo que trabajar para cambiarlo. Debo aceptar que las cosas no van bien. Entender lo que me digan aunque no me guste. Y saber que lo tengo que hacer para superar la situación aunque no me guste hacerlo. Y sufrir, en los entrenamientos y en la pista. Sufrir de coco para superar esta situación», apuntaba en *Tennistopic* al recordar la fatídica racha ante Nole.

Nadal y Djokovic. Djokovic y Nadal. Cada partido es una página en blanco que se decide por pequeños trazos y en la edición de Roland Garros de 2013 no hubo excepción alguna. El español y el serbio protagonizan la rivalidad más repetida de la historia y apenas hay lugar para las sorpresas. En aquellas semifinales la Philippe Chatrier se convirtió en un tablero de ajedrez, donde la estrategia y la razón para aplicarla en el momento oportuno se antojaron decisivas.

Solo una de las cuatro últimas ocasiones en las que se habían enfrentado en un Grand Slam, la victoria había sido para Rafa. Pero tal y como empezó el partido nadie tenía motivos para temer. La derecha de Nadal empujaba detrás de la línea de fondo a Djokovic. Cuando el mercurio crecía en el termómetro, el español mostraba su mejor versión. Dominaba los intercambios largos y el partido. Tanto que con 6-4, 3-6, 6-1 y 6-5 en el marcador, sacó para certificar su pase a la final.

«Sabes que todo depende de un punto, de que te equivoques en una dirección… Juegan a un nivel tan alto que a veces hacerlo mejor es casi imposible y dependes de pequeños detalles», advierte Marc López, otra de las caras conocidas en su palco. Y esta vez Nadal no cerró. Djokovic reapareció en escena para forzar la quinta manga. Tomó la batuta para dirigir una sinfonía de golpes que mermó a su rival. Jamás se había visto tan fuerte aquella tarde en París como en el último parcial. Imparable, sólido y certero.

A la vez que la figura de Novak resurgía en la pista, los rostros cambiaban en el banquillo de Rafael, que buscaba miradas cómplices. Confianza. Energía extra. Pero solo encontró una, la de Francis Roig. Ni siquiera el 4-2 con el que el serbio domina el quinto set le hace dudar. «En ese momento yo veía que Djokovic le iba dominando, pero también que Rafa tendría una opción que aprovechar. Y si se le subía a las barbas en el marcador y se ponía igualado, realmente habría posibilidades de ganar. La derecha invertida de Djokovic le estaba haciendo mucho daño y a Rafa le costaba salir a por esa pelota y hacer un contraataque».

«Hasta que empezó a hacerlo. Y veía que era una solución, que Djokovic dejaría de atacar tanto, y que Rafa le podría hacer el break. No se por qué, pero en ese momento de verdad pensaba que le podía reventar, y el hecho de estar convencido te hace levantarte y animar. Demostrarle que eso que está haciendo le puede servir. Y, claro, a él le das un poquito de confianza... A lo mejor me levanté un par de veces más que los otros, pero sin estar yo allí también habría remontado», continúa Roig. «Cuando te acostumbras a ganar y pierdes... Yo estaba cagado. Todos, ¿no? Bueno, menos Francis, porque él es un tío echado para adelante y tiene mucha fe en Rafa», apostilla Marc, que vivió el partido a través de la televisión.

Y como tantas otras veces, caminando sin red sobre el alambre y asomándose sin paracaídas al abismo, Nadal cerró la puerta a los fantasmas y a Djokovic (9-7): «Ha sido un partido muy emocionante. Jugamos durante muchos momentos a un nivel muy alto. Este tipo de partidos hacen grande al deporte. Perdí uno similar en Australia [final de 2012], pero el de hoy fue para mí».

Exhausto, tras más de cuatro horas y media de pelea sobre la arena, Rafael ya descansaba en el vestuario. Entonces, su jefe de prensa irrumpió en escena y se produjo el diálogo reseñado. No podía creer cómo desde el banquillo su faro habitual no le había podido alumbrar esta vez. Benito Pérez-Barbadillo, una de las piezas clave del engranaje, se defendió como pudo.

«Si el partido está más o menos tranquilo, aunque estés concentrado, en los intercambios da tiempo a todo. Benito es el que está más rato hablando. Es incapaz de callarse, pero pasa de estar relajado a estar tenso en un momento. Hay partidos, como esa semifinal, que ya sale nervioso y entonces se le cambia la cara radicalmente. No puede ni hablar el tío. Imagínate, para que Benito no hable, cómo se pone...», explica entre risas Roig.

Continúa la radiografía del banquillo: «Toni se pone muy nervioso, también. A mí me pasaba antes, pero ahora pienso que los partidos son largos y con Rafa tienes mucho margen. Titín es más reservado, pero siempre positivo. Da igual cómo esté, que él siempre cree en Rafa. También le conoce mucho y sabe cómo está en cada momento. Titín tiene una frase: "Está restando bien; seguro que gana". Rafa casi siempre resta bien, pero cuando le toca alguien que saca muy bien y aún así mete muchos restos dentro, Titín siempre dice esto».

Así ocurrió en aquel partido ante Djokovic, que se interpretó como el más importante de aquella edición. Nadie le llevó al límite como él. Antes de llegar hasta ahí tuvo que superar al alemán Daniel Brands, al eslovaco Martin Klizan, al italiano Fabio Fognini, al japonés Kei Nishikori y al suizo Stan Wawrinka. Y después de la batalla ante el serbio aún le quedaba medirse en la última ronda a otra raqueta que le conoce a la perfección: David Ferrer.

Diecisiete duelos entre ambos y solo una victoria del alicantino sobre tierra batida, pero Ferrer había recorrido un duro camino sin ceder un solo set rumbo a la final. Además, ya en el Mutua Madrid Open, tres semanas antes, le había enseñado sus afilados dientes y se quedó a dos puntos de ganar el partido en la Caja Mágica. Sin embargo, entre los muros de la Philippe Chatrier, el viento siempre sopla en el mismo sentido: a favor del manacorense.

«Lo de este tío es increíble», se resignaba David en pleno partido después de un largo intercambio. Más tarde se confirmaron sus presagios. Primero las bromas: «Es extraño. Hoy he perdido la final contra Rafa y voy a ser número cuatro del mundo y él, cinco. Se lo cambiaba, preferiría haber ganado y que él fuera cuarto en el ránking». Luego, el respeto: «Tiene la mejor mentalidad que he visto nunca». Era la victoria número 14 de

Rafa en una final ante otro español. Un pleno. Y, finalmente, la rendición: «Es el mejor».

Dos horas bastaron para que Nadal levantara su octava Copa de los Mosqueteros (6-3, 6-2 y 6-3). Para que Rafael señalara a aquel rincón escondido en la pista. Ese título era para ellos: «Cuando realmente necesitas apoyo es cuando las cosas no van bien, cuando estás lesionado. Cuando estás un poco triste y recibes todo ese apoyo, te da energía positiva».

Y ese impulso necesario, cuando atravesaba siete meses de calvario, estaba en cada uno de los señalados: su familia, su equipo, sus amigos. Por octava vez paseaba por la misma pasarela de la victoria, camino de la gloria, rumbo a la eternidad. En lo más alto, un recuerdo desencadenó la emoción y las lágrimas del campeón, al ritmo de las primeras notas del himno nacional: «Hace cinco meses nadie de mi equipo creía en un regreso como éste… Y aquí estamos».

Sin ellos habría sido imposible. Eran doce grandes: Roland Garros (2005, 2006, 2007, 2008, 2010, 2011, 2012 y 2013), Wimbledon (2008 y 2010), Abierto de Australia (2009) y US Open (2010). Para doce pilares: Sebastián, Ana María, Maribel, Mery, Toni, Titín, Francis, Carlos, Beni, Tuts, Joan y el doctor.

Lo ganó el 9 de junio de 2013, pero todo empezó mucho antes…

El lunes 29 de abril de 2002, los diarios nacionales recogían la noticia: Sergi Bruguera anunciaba su retirada del circuito profesional. El jugador español con más Roland Garros en su palmarés, junto a Manolo Santana, colgaba la raqueta al mismo tiempo que Nadal se estrenaba en Mallorca en su primer torneo del ATP World Tour. Además del catalán, el único hombre en activo que compartía el privilegio de levantar la Copa de los Mosqueteros en París, el local Carlos Moyà, tampoco partía en el cuadro final en la isla.

El ambiente de decepción inicial por la ausencia de los rostros más conocidos de la Armada pronto dio paso a la incredulidad. Una sorprendente *wildcard* concedida por la organización a un niño de solo quince años con residencia en Manacor, despertó la curiosidad de muchos. Otros tantos ya habían oído maravillas de Rafael, la joya del tenis balear, pero muy pocos le habían visto en acción. Y la tierra batida del Club Nova Sport reunió a miles de curiosos.

Entre los desconocedores del potencial de aquel adolescente (762 del ránking) se encontraba Ramón Delgado, su rival en la primera ronda. Paraguayo, diez años mayor, y con el Top 81 de la ATP en la solapa. A pesar de que los resultados no le habían acompañado durante las últimas semanas, la oportunidad era propicia para que el de Asunción rompiese la racha de cinco derrotas consecutivas. El sorteo había sido benévolo con él. O eso al menos entendió en el momento en el que conoció cuál sería su primer cruce en Palma Nova.

—¿Quién te ha tocado?

—Rafael Nadal.

—¿Lo conoces?

—Bueno, Carlos Moyá me ha hablado alguna vez de él...

—Tiene quince años y nunca ha jugado contra un Top 100. Este es su primer torneo ATP.

—Ya, ya. Por lo menos acá hay una buena *chance* (oportunidad) de ganar un partido contra un chico.

—¿Cómo lo ves?

—Todo controlado.

No había motivos para desconfiar. Por muy bien que jugase ese niño y por muy fuerte que conectase sus derechas, la experiencia de un gladiador de la tierra batida, finalista en Bogotá (1998) y verdugo de Pete Sampras en Roland Garros, debía ser un arma suficiente para salvar el encuentro y reconducir una trayectoria negativa durante aquella temporada. «Yo no venía con mucha confianza. Había perdido algunos partidos seguidos en primera ronda, pero obviamente pensaba que tenía que ganarle. Al ver el cuadro pensé que *acá* podía quebrar la racha mala que venía teniendo», aclara el propio Ramón Delgado.

A Rafael le había llegado el turno de demostrar que los halagos no eran exagerados ni las advertencias del ex número uno de la ATP, infundadas. «La referencia que tenía era de Carlos Moyá, que hablaba mucho de él. Decía que había un chico que iba a ser muy bueno, que se entrenaba con él cada vez que iba a Mallorca». Pero Delgado no había imaginado, ni siquiera por un segundo, lo que le esperaba al otro lado de la red. Entretanto, los protagonistas recibieron el aviso para saltar a la pista.

Concentrado. Con paso firme y seguro. Como si lo hubiese hecho miles de veces antes. Nadal caminaba hacia la silla, primero, y hacia la red, después, con el talante de un veterano. Solo algunas espinillas en su rostro infantil confesaban que aquella era su primera experiencia en un torneo de esas dimensiones. Nadie podría decir lo mismo tras los primeros intercambios. «Yo empecé bien (2-0) y él aguantando. Y eso ya me sorprendió, porque normalmente a un chico de quince años le cuesta aguantar la velocidad de pelota y el ritmo. Pero él aguantaba sin problemas. Eso viene de los entrenamientos que tenía con Moyá, imagino», aún intenta explicarse Delgado.

Un solo set fue suficiente para sorprender al paraguayo. Consecuencia de la racha negativa o del huracán que tenía delante, las cosas no marchaban como esperaba. «Aguantar a los 15 años el ritmo de un profesional no es fácil. Yo tenía veinticinco. La actitud y la energía que tenía Rafa era lo que sorprendía. No paraba de saltar, de correr para los cambios de lado... La verdad es que se notaban las ganas que tenía ya a esa edad». Las roturas de servicio se sucedían, pero el más pequeño era más incisivo en los momentos claves. Tanto que la primera manga cayó del lado de Nadal, 6-4.

Un enérgico puño al aire sirvió para festejarlo. «No, no celebraba los puntos como en la etapa final de su carrera... ¡lo hacía mucho más! Ahora está más tranquilo, pero allí era mucho más, mucho más. Es normal en un chico de esa edad. En su casa, con su gente...». Y es que era imposible esconder las emociones. Los curiosos que se habían acercado hasta el club aún se frotan los ojos para entender lo que ocurrió sobre el albero.

La pista se llenaba, la expectación crecía y el ambiente absorbía a Delgado, mientras Nadal caminaba hacia su primera victoria en un torneo ATP. «Estaba llenísimo. La gente se fue metiendo en el partido a medida que vieron que Rafa podía ganar. Yo creo que todos estaban esperando verle un rato, qué sé yo. No imagino a nadie que pudiese decir que tenía *chances*, pero después se fueron metiendo y metiendo porque veían que se complicaba el partido para mí. La gente empezó a creer que podía ganar».

El paraguayo era incapaz de encontrar la salida en el laberinto que había trazado el español. «Al final del primer set ya veía la cosa medio negra, porque él estaba agrandado y cada vez jugando mejor. Y yo, al contrario, cada vez con menos confianza». Cuando quiso reaccionar, el partido ya se había escapado para siempre. «Estaba cada vez más tenso, porque venía mal y encima si perdía con un chico de quince años, se me venía todo abajo».

El martirio terminó en una hora y 23 minutos. Un doble 6-4 certificó que los rumores que recorrían Mallorca, impulsando al pequeño Rafael a horizontes ilimitados en el océano de la ATP, no eran descabellados. «No me acuerdo de nada de lo que nos dijimos en la red, solo que tenía un bajón impresionante. Le saludé rápido y me fui al hotel».

Rafael intercambiaba miradas y gestos con su tío Toni, que contemplaba la escena desde su banquillo. Ambos sabían de la dificultad de aquel partido. Los problemas no partían exclusivamente de la entidad del rival. Enfrente no solo estaba una raqueta de categoría Top 100. Detrás del rostro serio, confiado y seguro que aparentaba tenerlo todo bajo control, se encontraba un jugador con problemas en el hombro. La articulación, cargada y castigada, le impedía servir con todas las garantías.

«Nunca escuché eso», responde sorprendido Delgado. Pero la controvertida decisión de saltar a la pista en esas mermadas condiciones costó que muchos cuestionaran a Toni Nadal. ¿Por qué había que forzar a un chico de quince años, cargado del hombro, a que jugara un partido si no había necesidad? Los rumores y cuchicheos se conjuraban detrás de la valla. Toni Colom, uno de los presentes en la grada en esa edición del Mallorca Open, da con la respuesta.

«Está claro que no hay que forzar el hombro y jugar sin cabeza, pero hay que aprender a competir y buscar soluciones de otras maneras. Aprender a aceptar lo que hay. Aquel fue un ejemplo de cómo Rafa desde muy joven aprendió a buscar soluciones frente a las adversidades que van surgiendo. Al fin y al cabo, es normal en la vida de un tenista estar cargado del hombro», apunta.

Así se fue tallando la mentalidad del campeón. «Recuerdo a Toni sorprendido de que su sobrino, mermado, con quince años, fuese capaz de ganar a un Top 100. Ellos siempre han vivido con gran profesionalidad y han ido a por todas, pero también han tenido el respeto y la humildad de saber lo difícil que es ser tenista. Siempre con prudencia, aunque Rafa desde muy pequeño ya despuntase, y sabiendo que uno no puede contar con ser profesional hasta que ocurra. Aunque estés muy cerca y generes expectativas altas, de ahí a que llegues a ganar un Grand Slam o ser Top 10...».

Mientras los mayores trataban de encajar lo que acababa de ocurrir sobre la tierra batida mallorquina, Rafael no dejaba de soñar despierto. Creía en hacer posible lo imposible. En poder ganar a cualquiera. Una ilusión que ayudaría a alimentar el propio Toni, pero siempre bajo la batuta de la prudencia y sin perder la perspectiva. El adulto proponía lo real y el niño disponía lo fantástico. Así se talló el campeón de hierro y todo lo que vendría después, una leyenda construida con piedras preciosas en forma de Grand Slams.

Sobre todo en Roland Garros, un escenario en el que en 2013, además de levantar su octava Copa de los Mosqueteros, volvió a reunirse con el hombre ante el que abrió su camino hacia la eternidad. «Bromeamos, pero Rafa solo se ríe, se divierte. Es demasiado tímido y tiene demasiada vergüenza para molestarme con eso. Es un chico que tiene un carácter muy bueno y es muy querido en el circuito», recuerda Delgado.

«El que me molesta es Benito, su jefe de prensa. Tengo muy buena relación con él, porque también fue jefe de prensa de ATP, y cada vez que me ve... ¡El que más me molesta es Benito! Y ahí arranco yo también. Rafa se ríe, nada más. Del partido en sí no hablamos, solo esa broma.» Once años más tarde el destino volvió a reunirlos en las entrañas de la Philippe Chatrier.

Rafael, campeón inmortal en Roland Garros, y Ramón, el primero de tantos caídos, se cruzaron de nuevo en el camino hacia los vestuarios. Y esta vez bastó un saludo, una foto para Twitter y un mensaje: «Sigo esperando mi porcentaje de tus premios, porque todo empezó conmigo y yo te di la confianza para entrar con todo en el circuito».

Por cierto, en Paraguay aún se habla de aquel partido de Mallorca. El propio Ramón Delgado, que da nombre a su Academia, alecciona a decenas de niños. «Me preguntan. Al principio no quería hablar mucho de ese partido, pero ya me acostumbré y les cuento todo. Es más, le pongo de ejemplo para tratar de motivarles: las ganas que tenía, la actitud de no achicarse... Porque yo llevaba ya unos años en el circuito y él me jugó de igual a igual, sin respetarme».

La lección se extiende fuera de la pista. «Para mí es una excelente persona, un chico con los pies completamente sobre la tierra, que no es fácil con todo lo que tiene. Todo el mundo le idolatra, en todos los sitios a los que va, pero él siempre es muy humilde, muy cauto y muy inteligente en sus comentarios. Se nota que tiene una familia muy buena. Y es obvio que es un ejemplo. Siempre. Dentro y fuera de la pista».

Aquel 29 de abril de 2002, Delgado encajó la que pudo parecer la derrota más sonrojante de su carrera; Nadal, la primera victoria entre más de setecientas en el circuito profesional. «Ya no me da ningún tipo de vergüenza. Ahora, incluso, lo utilizo a mi favor. No sé si orgullo es la palabra, pero por lo menos... ¡Qué sé yo! Tuve mi impacto en su excelente carrera». El honor de la derrota.

Capítulo XIII

ABIERTO DE ESTADOS UNIDOS 2013
Trece grandes para trece nietos

«Solo Muhammad Ali volvió a la cima de su
deporte tres años después de abandonarla.»

EQUIPO NADAL

*P*or primera vez en mucho tiempo la familia Nadal se
reúne al completo. «Este año por Reyes nos juntamos
todos, porque hay trece nietos en casa y siempre llevan
muchas cosas y hay mucha alegría». La abuela Isabel,
con los galones que merece la edad, dirige el brindis.

—Bueno, es el primer año que estamos todos juntos.
Sonrisa de satisfacción.

—Rafelet, el año que viene espero que estés otra vez
aquí.

Mueca de pánico.

—No, abuela, por favor. Me basta este año.

Alborea el año 2013 y Rafael está desesperado. Lleva
medio año sin jugar un partido de tenis y aún no ve la
luz al final del túnel. Abu Dhabi, Doha y Melbourne,
parada obligada en condiciones normales, ni siquiera
asoman. «Rafa no puede estar sin competir. Es un competidor nato. Para él tres meses ya es muchísimo, imagínate los siete que estuvo con la incertidumbre de
cuándo podría volver. Estar tanto tiempo sin jugar y ver

que los otros están sumando, no lo lleva muy bien», recuerda Francis Roig. Siete meses de inquietud y sufrimiento... y otros siete de éxito y satisfacción.

«Será una temporada de transición», prevé en febrero un Nadal ya recuperado. «Necesitas amar este juego. Cuando amas este juego, amas lo que haces en todo momento. Durante toda mi carrera he aprendido a disfrutar sufriendo y estos partidos son muy especiales. Cuando llegan, sufres, pero también disfruto esos momentos de tensión. De verdad, disfruto sufriendo, porque es más duro estar en Mallorca, como el año pasado, y tener que ver este tipo de partidos por televisión. Hoy estoy aquí», corrige en septiembre un Nadal llevado al límite por Djokovic, pero campeón del US Open. Entre ambas frases, 215 días y diez títulos conquistados. De Manacor a Nueva York. De la desesperación al regocijo.

Expertos boquiabiertos, rivales cariacontecidos y aficionados *peliescárpicos*. Amigos, como Carlos Moyá, ni siquiera sorprendidos. «Al principio sí, me sorprendía. Luego ya no. Yo nunca hubiese dicho que llegaría siquiera a una final de Wimbledon. Llega, juega otra y casi gana a Federer. Y ya cuando gana a la tercera, digo: "Ya lo he visto todo. Lo que haga después de esto, ya no me sorprenderá nada. Ni volviendo de una lesión y ganar de nuevo". Ya está. Cero sorpresa».

Ni volviendo de una lesión y ganar de nuevo... Final en Viña del Mar y trofeos en Sao Paulo y Acapulco. Todos en tierra batida. Llega Indian Wells, en pista dura: «A ver si gano dos partidos y puedo jugar tres, que me irán bien», le dice Rafa a Francis. Jugará seis y ganará los seis. El mundo de la raqueta se rinde al hijo pródigo, arrepentido de tanta lesión y convertido de nuevo en campeón heroico. «Abran paso, pongan la alfombra roja, Rafael Nadal está de vuelta», firma Juan José Mateo en *El País*.

Barcelona, Madrid, Roma y París se arrodillan de nuevo a los pies del rey de su tierra. Montreal y Cincinnati coronan al emperador invicto de su cemento. Van nueve títulos, van dieciséis victorias consecutivas en pista dura, y llega el Abierto de Estados Unidos. «Nadie podía pensar que volvería así», recogen las grandes cabeceras en la previa del torneo neoyorquino. «Realmente impresionante», resume Roger Federer.

Apenas veintitrés juegos cedidos ante Harrison, Dutra Silva y Dodig. Más agresivo que nunca. Kohlschreiber, al menos, le arranca un tie-break. Siempre hacia adelante, citándose antes con la pelota. Robredo, verdugo de Federer y eterno competidor, tarda 39 minutos en ganar un solo juego. Menos desgaste, misma ambición. Gasquet, su bestia negra infantil, vuelve a ceder. Valentía y confianza.

Rafa Nadal ha llegado a la final por la vía rápida. Sin contratiempos. Novak Djokovic necesita un quinto set durísimo ante Wawrinka en semifinales. Negociando con el abismo. «Pero Djokovic es jodidamente fuerte», avisa Stan. «Novak es un competidor alucinante, uno de los mejores jugadores nunca vistos. Un gran campeón. Espero estar listo», concuerda Nadal. «Estoy preocupado hoy, en 2010 y siempre. Tenso. Nervioso. No soy arrogante. Respeto al rival. Cuando no esté nervioso será porque ya no siento el deporte como lo he sentido toda mi carrera y será un motivo para plantearse que no tengo que estar aquí. Esos nervios significan que te importa lo que haces», sentencia Rafael.

Empieza la final y manda Nadal. Su derecha paralela, síntoma inequívoco de confianza, gobierna. 6-2. Se sienta en la silla y un pensamiento alentador recorre su mente: «No puedo jugar mejor al tenis. No se puede jugar mejor. He llegado al máximo y ahora a ver si puedo aguantar ahí». Se lo contará a Roig después del partido, pero ninguno de los dos se confía antes de tiempo.

«Cuando Rafa ganó el primer set hubo un par que dijeron: "Va a ganar 6-2, 6-2 y 6-3". Y yo dije: "Imposible, la diferencia es tan pequeña entre los dos y es tal el esfuerzo que tiene que hacer uno para superar al otro, que ese esfuerzo no lo pueden aguantar mucho rato seguido". Ganar fácil entre estos dos…».

No, no ganará fácil. En un Nadal-Djokovic mandan los instantes. Los segundos. Los milímetros. Rafa sufre en el segundo set, completamente superado por un Novak superlativo. 3-6. «Los partidos no solo se ganan con la raqueta. La raqueta es lo importante, pero hay momentos que van más allá de eso, en los que importa el resistir, el aguantar, el buscar soluciones, el pelear cuando las cosas van mal, el no dejarte llevar cuando el otro te está destrozando, como pasaba por momentos, que me sentía muy apretado, muy al límite».

Nadal resucita, con todo en contra, en el tercer parcial. Al 0-3 y pelota de rotura para el serbio, le suceden sendas rachas de cuatro juegos consecutivos del español. «Seguir manteniendo la lucha, la pasión, jugar al límite, ser capaz de que no se me vaya con el segundo break para que el set no esté acabado. He aguantado. Eso lo he hecho fantástico. Los partidos se ganan en los momentos complicados». 6-4 y 6-1. No, no ganará fácil… pero ganará.

Una vez más. «Nadie más saca este nivel de mí, solo Novak». Un grande más. «Nunca pensé que esto podía suceder». Y una victoria más en una temporada inolvidable. Irrepetible. Veintidós triunfos, cero derrotas en cemento. «Estaba encantado de volver al circuito intentando ser competitivo, pero nunca pensé que pelearía por todo lo que he peleado este año. Todos esos Masters 1000, dos Grand Slams… Es más que un sueño y estoy muy feliz. Me siento muy afortunado de lo que ha sucedido desde que volví. Es cierto que trabajé, pero incluso así necesitas tener suerte para estar donde estoy yo hoy».

En 2010 sacó más rápido en Nueva York, pero entregó más veces su saque (cinco, por las cuatro de esta edición). En 2010 ganó más trofeos de Grand Slam (tres, ahora dos), pero los disfrutó menos. «Ha sido, quizás, la mejor temporada de mi carrera, si no con números, que está muy cerca, por la dificultad y todo lo que ha significado. Ha sido el año más emocionante de mi carrera y, probablemente, del que estoy más orgulloso». Y el más rentable: 14.560.915 dólares, cifras nunca vistas en la historia de la raqueta.

Nadal colecciona su decimotercer Grand Slam. Doce más uno, para los supersticiosos. Ocho más cinco, para los que pensaron que el manacorense solo triunfaría sobre arcilla. «Dicen que es un jugador de tierra batida. ¿Qué jugador de tierra batida te hace cinco finales consecutivas en Wimbledon, aparte de ganar US Open y Australia? Creo que su grandeza en tierra ensombrece un poco su juego en otras superficies», sentencia Moyá, endureciendo la voz. Un jugador ambicioso.

¿Qué jugador de tierra batida recupera el número uno del mundo con un déficit de 7.500 puntos? El 4 de febrero Djokovic se sentaba en el trono del tenis con 12.960 puntos y buscaba, escondido tras Federer, Murray y Ferrer, a un Nadal que volvía a la competición con 5.400. El 4 de noviembre, tras nueve meses exactos de gestación, embarazado de títulos, Rafa amanece en Pekín con 12.030 puntos, por los 10.610 de Novak. Lo dicho, un jugador ambicioso.

¿Qué jugador de tierra batida cierra el año por tercera vez, tras 2008 y 2010, en lo más alto de la clasificación mundial? Un jugador ambicioso... y humilde. «Solo Muhammad Ali volvió a la cima de su deporte tres años después de abandonarla», presume, merecidamente, su equipo. «No me voy a dormir sintiendo que soy el mejor jugador del mundo. Nunca lo he hecho, ni lo voy a hacer», responde, encomiable, Rafael. Nunca lo ha sentido, pero siempre lo ha soñado…

Si bucean en YouTube se encontrarán con un joven, melenudo e imberbe, que allá por 2004 recitaba entre risas sus anhelos tenísticos: «Mi sueño, como supongo que el de todo jugador, sería primero el Top 10 y después el número uno, que ya es lo máximo que puedes hacer, ¿no? Yo preferiría, creo, ser número uno a ganar un Grand Slam. Pero bueno, si se da ganar un Grand Slam también estaría contento».

Mucho antes el nombre de ese joven ya resonaba con fuerza en el mundo de la raqueta. Catorce años recién cumplidos y Jordi Arrese ya intenta convencer a Francis Roig.

—Este tío será número uno del mundo seguro.

—Hombre, que será muy bueno, seguro. Pero no sé…

—Hazme caso: número uno.

—Número uno nunca se sabe.

«Cuando decía que Rafa sería número uno varios se reían, incluso los mismos que han estado jugando en el circuito. Yo lo tenía claro por la agresividad que ponía en la pista, la concentración que tenía en cada punto. Era diferente a los demás». Arrese se ganó fama de adivino, pero perdió varias apuestas. «Me jugaba mariscadas con él. Por ejemplo: "Si antes de tal fecha estás en el Top 3, te pago una mariscada". Le picaba, pero el tío las reventaba y me tocaba pagar».

Pronto, con el nuevo milenio, la profecía de Arrese se convirtió en la aspiración de Rafael, y no le importaba defenderla ante los jurados más exigentes. Por ejemplo, en la cena previa a un Campeonato de España por equipos. Acude como *sparring* y le rodea una audiencia de renombre: Carlos Moyá, Albert Costa, Alberto Berasategui, Carlos Costa, Galo Blanco, Tomás Carbonell y Fernando Vicente. «En el equipo había veteranos bastante *perrillos* y le hicieron muchas preguntas, pero el tío estaba convencido de que quería ser número uno del mundo», recuerda Galo. «Que un niño de catorce años te lo diga con esa seguridad nos chocó un poco. Todos pensamos: "¿Dónde va este chaval?". Pero mira, ahí está».

Fue de las pocas veces que el niño no recibió una colección de bromas como castigo a su osadía. «No, no. No, porque era muy buen chaval. Se le veía muy tímido y nos chocó que tuviera la determinación y los huevos de decir eso delante de todos nosotros. No lo decía en plan fantasma, ni mucho menos, sino porque realmente era su sueño y su intención», rememora Blanco, todavía hoy asombrado. Su sueño… y su intención.

Y nada ni nadie podrían alejar a Rafael de esa intención. «Estábamos jugando el Future de 15.000 dólares en la Academia Sánchez-Casal de Barcelona. Éramos unos cuantos en un grupo y el Bolet [Marc López] empezó con sus tonterías de siempre», arranca la narración de Carlos Cuadrado, último campeón español del torneo júnior de Roland Garros. «Yo soy siempre de ir diciendo: "¿Firmas tal…?". Me gustan estas tonterías», admite Marc.

—A ver, si te dan un maletín con un millón de euros, te dicen que eres Top 100 y acaba tu carrera, ¿firmas?

—No, no. Yo no firmo. Top 100 no me sirve de nada.

«Luego la apuesta empezó a ser más picante», continúa Cuadrado.

—Venga, Top 50 y te dan cinco millones.

—Que te digo que no firmo. Ni cagando.

«Entonces, claro, todo el mundo se quedaba un poco extrañado, porque ahí estábamos como 400 del mundo».

—¿Top 20? ¿Top 10?

—Tampoco te lo firmo, Bolet.

—Va, lo cerramos. Número dos del mundo, diez millones en una maleta y paras ya.

—Mira, tío, te lo digo en serio: no firmo.

—¿Pero qué dices? ¿Estás loco?

—Que no firmo. Yo quiero ser el número uno del mundo.

«Hasta que no llegamos a lo más alto, no aceptó. Y eso es lo que más me impactó de él. Eso es algo que no se me olvidará en la vida. De alguien tan joven y con un ránking tan lejos de los mejores. Nosotros éramos niños y veíamos en la tele a Sampras y a Agassi. Todos estaríamos encantados con jugar en serio al tenis y llegar a ser Top 10. Todos, menos él», recuerda Cuadrado.

Pero el deseo y la confianza de aquel tenista en ciernes no conocían límites. «Que alguien tan joven pudiera tener una convicción tan, tan, tan grande, pero aparte creíble, de que quería ser número uno... Ah, ¡y quería ganar Wimbledon! Por aquel entonces los jugadores españoles no lo hacían muy bien en hierba, pero él estaba totalmente convencido de esa ilusión: ser número uno y ganar Wimbledon. Y la verdad es que cuando él lo decía, te lo creías». Era Rafael.

«Sí, a veces pensabas: "Y este, ¿de qué coño va?". De ahí empezó la conversación con el Bolet. Pero luego le veías con ese convencimiento, ese espíritu de sacrificio... Era como ahora, pero de pequeño. Sin ser nadie, ni haber ganado nada. La gente cuando empieza a ganar cosas cambia, y se les ve con más confianza. Rafa, no. Rafa ya era un auténtico campeón cuando aún no había ganado nada». También era Nadal.

Años después, los tres protagonistas de aquella charla se reencontraron en California. «Vi a Rafa en Indian Wells y comentamos esta anécdota. Estaba el Bolet también por ahí y nos reímos de aquel momento». El tiempo había pasado y los anhelos habían mutado en certezas: Nadal ya era doble campeón de Wimbledon y rozaba las cien semanas como número uno.

—Hostia, pues la verdad es que tenías razón.

Nadal sonríe.

—En aquel momento nos reíamos y nos parecía increíble tu convicción, pero ¡joder, cualquiera te dice algo ahora!

Rafael solo sonríe. «Ahora era él el que se reía, pero más avergonzado que crecido. Rafa es una persona muy humilde. Siempre ha sido igual: humilde, buena persona. No ha cambiado mucho. Y el tío siempre se ríe con esa risa tímida, como si no hubiera pasado el tiempo y fuéramos niños», recuerda Cuadrado.

Pero el tiempo sí ha pasado y aquel niño no ha ganado un Grand Slam; ha ganado trece. Y sí, ha sido número uno del mundo. Lo fue y lo es, tres años después. «El hecho de que Nadal haya vuelto tan fuerte después de su lesión es uno de los mayores milagros y una de las mayores remontadas nunca vistas en el mundo del deporte», opina Boris Becker. «Es asombroso ver lo bueno que era y lo genial que es, cómo ha transformado y mejorado su juego», confirma John McEnroe.

Sí, el niño convencido se ha convertido en un jugador ambicioso. Así ha escrito su nombre en el libro sagrado del tenis con letras de oro. Ambicioso... y humilde. «La mayoría de gente está orgullosa de ver a un conocido o a un familiar que destaque en algo. Pero quiero pensar que a mi familia no le hubiera valido que el éxito hubiera sido a cualquier precio. Hay formas y formas de tener éxito», reflexiona Rafael, mientras una octogenaria con memoria de hierro y nombre de reina sonríe orgullosa. Es Isabel.

Abuela compungida cuando recuerda sus siete meses magullado: «Fue una época muy mala, porque estaba nervioso. Su vida es lo que hace, jugar al tenis. Le encanta. Y estar parado es lo que más le cansaba de todo». Y abuela encantada cuando revive la temporada de su nieto: «Estoy muy contenta. Ha sido importante todo este año, porque después de tener la lesión que tuvo, o que aún tiene un poco, hacer lo que ha hecho a todos nosotros nos ha impresionado». Setenta y cinco victorias, diez títulos y la barrera de los 13.000 puntos superada.

Abuela, madre y esposa. «El verdadero Rafael Nadal es mi marido, el primero. En la familia tenemos a mi marido, mi hijo, mi nieto y otro nieto. Todos Rafael Nadal. Al Rafael le llamamos "el tenista". Y mi marido, que es al que le gustaba su apellido, se ha quedado con "el viejo"». Maestro de piano y director de orquesta. Genes de genio. De casta le viene al nieto.

«Nos llama muchas veces y yo estoy muy agradecida y muy contenta con él. Además, nunca se va de casa sin venir a visitarnos. Es muy familiar. Lo primero que hace cuando llega es venir a vernos. La verdad, es una buena persona», continúa Isabel, orgullosa de su nieto. Perdón, de sus nietos. De los trece.

De Rafael Nadal Barceló. Estudiante. Y de Rafael Nadal Parera. Tenista. «Siempre me dicen: "La abuela de Nadal". Y respondo: "Yo tengo doce más, y todos son muy agradables". Tengo trece: Rafael y doce más». Los trece que se reunieron en aquel cónclave familiar con la visita de los Reyes Magos como excusa. Por entonces, Nadal tenía once Grand Slams; hoy tiene trece. Trece grandes para trece nietos.

Lo ganó el 9 de septiembre de 2013, pero todo empezó mucho antes...

Silencio sepulcral. La hora y media de viaje entre Cagliari y Barletta sirvió para reflexionar, meditar y analizar qué había ocurrido. Era la tercera derrota consecutiva en una final. Y esta vez había estado más cerca que nunca de la victoria. Pero a aquel chico de 16 años se le había escapado una nueva oportunidad para levantar su primer Challenger, mientras observaba por el retrovisor cómo el gran rival de su generación, Richard Gasquet, ya se había apresurado a capturar dos torneos de esa categoría.

El territorio más inhóspito para él, la pista rápida cubierta, servía como autojustificación para las dos primeras finales (Hamburgo y Cherburgo). Pero no entendía qué había ocurrido sobre su tierra, la batida, en Cagliari. Dominaba a su rival, el marcador (6-2 y 2-1) y al público local que alentaba a Filippo Volandri. Sin embargo, a la tercera tampoco fue la vencida.

Ya instalado a orillas del Mar Adriático, tan solo un día después, el Circolo Tennis Barletta acogió la última semana de marzo de 2003 una nueva edición de su Challenger, que registraba un campeón español en las cuatro celebraciones anteriores. Para entonces, Rafael no estaba dispuesto a dejar escapar una nueva oportunidad. Ganar sobre la arcilla italiana era su única obsesión.

El hombre que le acompañaba en la gira transalpina, Toni Colom, estaba atónito ante una actitud que nunca había visto en una raqueta adolescente, pero era evidente: algo le decía que había llegado la hora. «Nunca lo había visto así. Tan concentrado, porque sí o sí quería sacarse la espina de las finales anteriores y romper como fuese la racha de esas tres derrotas. En Barletta tenía claro que iba a darlo todo y a pesar de ganar el primer set no aflojaría ni pensaría en ganar antes de tiempo. No iba a permitirse en ningún momento pensar que ya estaba hecho, como en cierta forma pudo haberle ocurrido en Cagliari ante Volandri».

Tras el sorteo del cuadro final, una mirada cómplice con su entrenador ocasional bastó. El inicio sería duro, pero quería curar a toda costa el escozor de las heridas, aunque eso supusiese tener que superar a un jugador experimentado, casi diez años mayor que él. El día de su estreno, al otro lado de la red le esperaba Rubén Ramírez Hidalgo. Jamás habían cruzado sus raquetas. «Me sorprendió desde el principio por la actitud que tenía siendo tan pequeño. No era normal. Nada más verlo en la pista estaba convencido de que aquel chaval iba a ser bueno».

La primera manga ya fue suficiente para comprobarlo, después de un set eterno, en el que Nadal acabó levantando un 4-0 inicial en el tie-break. «Yo era mucho mayor, pero le daba igual. No tenía miedo. Rafa venía jugando bien y ya se oía hablar de él en el circuito. Todo el mundo decía que iba a ser un crack. Perdí 6-7 y 3-6. Al final ganó el torneo. Se los comió a todos».

Nadal había aprendido de los errores del pasado y acabó sumando su primer Challenger. Instantes después, el abrazo que fundió a Rafael con su entrenador en Barletta fue revelador. «Recuerdo la sensación de satisfacción que Rafa transmitía cuando consiguió la victoria en aquella final. En una gira de dos torneos, había ganado un trofeo y alcanzado otra final, con la dificultad añadida de que sufrió su tercera derrota en una última ronda, así que había que levantar la cabeza para darle la vuelta a la situación. Desde entonces, Nadal ya empezó a dar síntomas de que ante la adversidad se crecía y si había una dificultad que le costaba de verdad, no se rendía. Es más, le reforzaba para cambiar el destino».

Así se iba tallando poco a poco la mentalidad del campeón. Barletta había madurado a un adolescente que ganaba músculo, presencia y, sobre todo, el respeto de sus rivales. Tanto que sin haber alcanzado la mayoría de edad recibió la llamada del equipo nacional de Copa Davis, una experiencia definitiva que le ayudaría a despegar. Nadal formaba parte junto a Feliciano López, Tommy Robredo y Beto Martín de la expedición que los capitanes habían preparado para viajar hasta Brno (República Checa) para tratar de saldar una deuda pendiente que arrastraba el tenis español: superar una eliminatoria de Copa Davis a domicilio lejos de la tierra batida, algo que solo había ocurrido una vez (Nueva Zelanda, 1999) en las últimas seis series fuera de casa.

«Rafa, juegas contra Jiri Novak». La sorpresa que reflejaba en su rostro contrastaba con la ilusión que brillaba en sus ojos en el momento en el que Jordi Arrese, uno de los capitanes, dijo las palabras mágicas. A pesar de no haber ganado nunca un torneo ATP, no había viajado hasta el Brno Exhibition Center para tomar un contacto superficial con la competición y asumir el papel de reserva. La decisión estaba tomada. Nadal disputaría el primer punto ante el número uno checo.

«Teníamos mucha fe, incluso más casi que su tío Toni en esos momentos. Rafa nos transmitía mucha tranquilidad. Le veías seguro ante una situación que nunca había vivido. Era una experiencia nueva y no la temía. No tenía la comunicación de un chaval normal a su edad», confiesa Arrese. Y así, el 6 de febrero de 2004, con solo diecisiete años y 248 días, Nadal se convirtió en el jugador más joven de la historia del tenis nacional en debutar en la Copa Davis. Sin embargo, no fue el estreno soñado. Apretó al líder de la República Checa, pero ni siquiera pudo arañarle un set.

«Juego, set y partido». Al día siguiente, el juez de silla volvió a pronunciar el mismo discurso con un tono amargo para Nadal. La melodía entonaba las notas de una nueva derrota, la segunda en solo dos días. Esta vez en el dobles junto a Tommy Robredo ante Radek Stepanek y Jiri Novak. Tampoco pudo apuntarse un solo set frente a la dupla checa y España debía sumar dos puntos en la jornada del domingo para avanzar a cuartos de final.

A la misma velocidad que comenzaban a arremolinarse las críticas y las dudas en torno a la controvertida decisión de los capitanes, las pulsaciones de Rafael aumentaban su frecuencia. Sus 17 años le evadían de cualquier presión, pero no de la responsabilidad de haber cedido dos puntos. O eso sentía su corazón. Como en Barletta solo un año antes, floreció un nuevo reto en su horizonte. Si los capitanes estaban dispuestos a darle una tercera oportunidad, esta vez no iba a dejarla pasar como ya había ocurrido en Cagliari. Orgullo de campeón herido.

De nuevo, gesto serio. Concentración absoluta. Las derrotas no descosían el aura de confianza que desprendía desde el primer día. «No daba motivos para sacarlo del equipo. Nos daba mucha seguridad tanto por la intensidad en los entrenamientos como por su fortaleza. La gente siempre recuerda la decisión que tomamos durante la final de la Copa Davis en Sevilla, cuando sacamos a Ferrero y confiamos en Rafa, en una época en la que no tenía tanto nivel. Y es cierto que fue complicado. Pero, tal vez, fue más importante meterlo en la primera ronda, en lugar de Robredo. Nunca había ganado un partido profesional en *indoor*», recuerda Arrese.

El despertador sonó muy temprano el 8 de febrero de 2004. Rafael fue uno de los primeros en saltar de la cama y estar a la hora prevista en el hall del hotel para partir rumbo al recinto donde debía resolverse la eliminatoria. Mientras tanto los capitanes ya habían hecho su elección: Feliciano López, que no había perdido un partido ante Jiri Novak en pista rápida, sería el encargado de disputar el cuarto punto; Nadal, el quinto ante Radek Stepanek.

Sin embargo, a su llegada al pabellón, la expedición española se encontró con una sorpresa. Un cambio de guion inesperado: el rival de Feliciano había variado. «Era un partido muy difícil, porque Novak estaba cerca del Top 10, pero yo guardaba un récord favorable (2-1) y los capitanes pensaron en mí, en lugar de Tommy [Robredo] que tenía un balance negativo con él (0-3). Pero cuando entramos en el club, nos enteramos de que Novak estaba tocado, que no jugaba y que en su lugar lo haría Tomas Berdych, que aunque tenía dieciocho años, ya poseía una potencia terrible. Era un jugador muy duro».

No había vuelta atrás. Con Novak o Berdych al otro lado de la red, era imprescindible ganar aquel partido para que España llegara con opciones al quinto punto, el que debía jugar Nadal. Después de la charla en el vestuario, Feliciano andaba hacia la pista. Mirada al frente, bolsa al hombro y raqueta en mano, esperaba que el *speaker* pronunciara su nombre para saltar al ruedo. De repente ocurrió lo imprevisto. Una voz asomó desde el fondo del túnel para atraer su atención.

—¡Feli! ¡Feli! Necesito decirte algo.

—Dime, Rafa.

—Solo te pido un favor.

—¿Qué pasa?

—Tú empata, que de ganar la eliminatoria me encargo yo. A Stepanek le gano seguro.

Atónito, perplejo, apenas pudo articular más palabras. «¡Esto no puede ser verdad! —se decía el toledano— ¿Cómo puede estar hablándome así un niño? ¿Cómo es posible que esté tan seguro?». Feliciano López cruzó una última mirada con Jordi Arrese que contemplaba la escena: «Este tío es la leche», leyó en los labios del capitán. Mientras tanto trató de tranquilizarle como pudo y acabó aceptando las plegarias de su interlocutor. Un gesto asertivo con la cabeza sirvió como firma del pacto.

Se había quedado de piedra: «Viene de perder sus dos puntos de la eliminatoria, sin haber ganado ni siquiera un solo set, en una superficie en la que nunca ha ganado un partido, ¿y me dice esto?». Tratando aún de encajarlo, recogió la bolsa que se le había escurrido por la sorpresa. Con aquel mensaje aún en la consciencia se preparó para saltar a la pista y asegurar el cuarto punto de la eliminatoria. Feliciano cumplió su promesa. La trama prevista rezaba que había llegado el turno de Rafael. La hora de reivindicarse.

Jordi Arrese observaba a su pupilo, mientras le transmitía los últimos mensajes instantes antes de que saltara a abrazar la gloria para siempre. «No diría que estaba tranquilo, pero sí que parecía estar convencido de sus posibilidades». Una moqueta extremadamente rápida bajo techo, un rival más experimentado y el público en contra no fueron elementos suficientes para intimidar al español. De Cagliari ya había extraído las enseñanzas para manejar un partido ante un jugador local y un ambiente atroz; de Barletta, las de salir adelante ante la adversidad, tras haber tropezado en varias ocasiones contra el mismo muro.

«Solo era un chaval de diecisiete años. Le tocaba debutar en la República Checa, en una pista rapidísima que no le favorecía en nada, ni sacaba como en su madurez ni conectaba los golpes por los que todos le recordaremos. En aquel entonces, Rafa luchaba, corría y trataba de devolver cada bola. Tenía un espíritu ganador increíble, un talento brutal, pero si ha llegado a ser un jugador diez, en esos momentos era un jugador mucho más limitado. Y aún así el tío confiaba en que iba a ganar el quinto punto. Estaba convencido. Creía absolutamente que era así».

Desde la barrera, Feliciano López aún mantenía la perplejidad unas horas después de aquel breve discurso que le había lanzado el niño que debía conquistar la clasificación a cuartos de final de la Copa Davis. «Yo le conocía ya bastante. Afrontaba su segundo año en el circuito profesional y sabía de su determinación y de su instinto ganador, pero no dejaba de ser sorprendente que un chico tan joven pensase de esa manera en esos momentos, sobre todo sin experiencia en Copa Davis, descontando los dos partidos que había perdido los días anteriores».

Como cualquier hombre de palabra, Rafael no podía fallar. Feliciano había cumplido su parte del trato, ahora él debía hacer efectiva la suya. Un pacto entre caballeros no debía quebrantarse. Una hora bastó para apretar el puño y dar un salto hacia el cielo. En el tie-break de la manga inicial, Nadal había ganado su primer set en la competición. Lo mismo ocurrió en el parcial siguiente que mantuvo el mismo argumento. Otro desempate para él. El tercer set le ofreció la oportunidad que perseguía desde el momento en el que había estrechado la mano a sus rivales en la prueba de dobles.

Estaba cerca de arrancarse otra espina. El marcador, 7-6, 7-6 y 5-3, le dejaba a solo un juego de escribir la primera de las tantas páginas de gloria que trazaría en la Copa Davis. Además, era el encargado de poner la pelota en juego. Por primera vez durante aquella tarde Rafael demostró que era un niño, que jamás había vivido una situación como esa y que la muñeca le temblaba como a cualquier otro mortal. Pero salvó las dos bolas de break, y en el tercer punto de partido se destapó al mundo: Nadal selló el pase de España a la siguiente ronda.

En cuestión de horas había pasado de villano a héroe. «Desde que tengo doce años, en Europeos y Mundiales, me ha encantado jugar el último punto, el del desempate, pero esto ha sido algo diferente porque la Copa Davis es muy grande. Yo estaba seguro de que iba a ganar. Tengo que reconocer que he disfrutado muchísimo y que esta ha sido la victoria más importante de mi vida».

Mientras tanto, Toni Nadal bromeaba ante la atención que acaparaba su sobrino por primera vez: «Rafael es el tipo con más suerte que conozco». «¿Suerte? Otro jugador en su misma situación, con la eliminatoria empatada, con esa edad, en esa superficie y fuera de casa, imagínate... Toni se refería a que la Copa Davis, a veces, es así. Puedes perder dos partidos y ganar el punto decisivo», justificaba la raqueta que había encarrilado la remontada en el cuarto punto de la serie.

El vestuario explotó. Tal y como le había confiado a media voz a Feliciano unas horas antes, Rafael también había cumplido su palabra y superado, de nuevo, una adversidad. Sentado en un rincón, mientras la fiesta aún continuaba en las entrañas del Brno Exhibition Center, el capitán Jordi Arrese meditaba sobre la decisión que habían mantenido durante toda la semana.

Había nacido una estrella y la intuición no le traicionó. Una década más tarde no lo duda: «La Davis hizo grande a Rafa antes de tiempo. Todas esas experiencias le hicieron crecer. Y cuantas más vivencias tienes, si son positivas, ayudan a ser mejor. A nivel mental, Nadal es muy poderoso. El más fuerte con diferencia». Una mente maravillosa.

Capítulo XIV

ROLAND GARROS 2014
¿Debemos cambiar Roland Garros por Nadal Garros?

> «Rafa ha ido superando todas las adversidades. Dominó al mejor
> jugador de la historia en su mejor momento. Luego le tocó
> superar a un Djokovic impresionante y también encontró
> la solución. Ahora está luchando contra sí mismo.»
>
> CARLOS MOYÁ

«**A**quí estoy de nuevo habiendo ganado algo que... que se dice pronto, pero que lo he ganado nueve veces. Y ganarlo nueve veces durante la carrera de un tenista es no fallar casi nunca. Porque nueve veces son... son muchas». Turno para una última pregunta. Idéntica. Insistente. «¿Qué significa para *vos* Roland Garros y haberlo ganado nueve veces, algo que nunca hizo ningún tenista en ningún Grand Slam?». Y una última respuesta. «Para mí es el premio a la entrega y al trabajo de toda una carrera. Y haberlo conseguido nueve veces significa que lo he deseado mucho. Cuando uno desea mucho una cosa, uno busca soluciones y se emplea a fondo para intentar conseguir, por un camino u otro, llegar al objetivo».

Por un camino u otro, aunque la senda esté llena de piedras, maleza y cuestas, a Rafael siempre le quedará París, ese balneario donde curar las penas del corazón y recuperar la sonrisa del alma. «Es puro Rafa. Cuando crees que las adversidades van a poder con él, casi siempre en forma de lesiones, vuelve. Fue una lástima la lesión que tuvo en Australia, le descolocó mucho y le hundió bastante», cuenta Carlos Moyá. «Después de Australia he pasado unos momentos complicados, como todos los pasamos. Al final, cada uno vive sus miedos, sus dudas, y el de Australia fue un momento complicado para mí», admite Nadal.

Melbourne aguarda el decimocuarto gran título de Rafa. Todo está preparado, y su rival en la gran final, Stan Wawrinka, apunta a simple telonero: doce duelos entre ambos, todos para el español; veintiséis sets jugados, ninguno para el suizo. Pero el tenis de Wawrinka y la espalda de Nadal no entienden de estadísticas ni pronósticos. «Perdí, no sé si hubiera ganado, pero lo que pasó es que no pude ni competir en un partido que me hacía mucha ilusión».

Tanta ilusión que la cabeza se resiente. «Me he quedado un poquito parado durante estos meses. Me faltaba la energía interior con la que acostumbro a jugar durante toda mi carrera. Esa intensidad, esa ilusión, esa fuerza interior». Incluso la rumorología atribuye un miedo a Rafael que da pavor a todo aficionado: no volver a ganar un Grand Slam.

«No me dijo nada, pero puede ser. En momentos de frustración puedes llegar a pensar eso. El tenis es un deporte jodido, porque cuando entras en una dinámica perdedora y de lesiones, lo ves todo chungo. Después de lo de Australia le ha costado confiar en su cuerpo de nuevo como lo hacía antes. Al ser una lesión diferente, en la espalda, y luego la muñeca o la apendicitis, también nuevas, ya no son solo la rodilla y el pie de los que tiene que estar pendiente», opina Moyá. Buen momento para cambiar algunas costumbres y reforzar otras...

Tocaba decir adiós a los dulces: «He intentado cuidarme, hacer las cosas mejor de lo que he hecho en mi vida en cuanto a alimentación. He dejado todos los desastres que hacía habitualmente con chocolates, panecillos, aceitunas…». La confesión de Nadal se produce entre risas, consciente de que Rafael sufrirá sin «esas cosas que sabes que no son buenas para tu cuerpo, pero te hacen feliz».

Atrás quedan los croissants de chocolate antes de una final importante o las paneras que se vacían por arte de gula. «En Brno, cuando debutó en la Copa Davis, el tío se cogió una botella de medio litro de Coca-Cola y una tableta de chocolate después de un entrenamiento y te juro por mi vida que en cuatro bocados se la comió entera», cuenta Xavi Segura, encordador del equipo español. «En aquella época podía comerse dos o tres solomillos. Luego subíamos a jugar a la consola y pedía una pizza. Lo que comía ese chaval era increíble».

Sus aventuras gastronómicas le llevaron incluso al hospital en una fecha muy señalada, para desasosiego de su abuela Isabel. «El día que hizo la primera Comunión tuvo un cólico tremendo. Yo tenía la despensa abajo y siempre había muchas aceitunas para invitar a todo el mundo a tomar un vermut. Y ese día Rafelet me cogió un bote y se lo terminó. Entero. No dejó nada. Nos dio un susto enorme».

Y tocaba decir hola, de nuevo y como siempre, al trabajo, el compañero de viaje ideal cuando los resultados no acompañan. Sirva como ejemplo una charla con Fernando Vicente, exjugador y actual entrenador de Marcel Granollers, antes de coronarse en Río de Janeiro:

—Tú, en cada torneo, ya sabes a qué hora juegas.

—Sí, más o menos.

—Vas al Godó y ya sabes que juegas el miércoles, cuarto partido de la pista central.

—Sí, eso sí.

—Con llegar el lunes vas sobrado.

—Sí, pero si puedo llegar el domingo o, incluso, un día antes, mucho mejor.

—¿Para qué?

—Si el examen lo repaso un día más, seguro que me sale mejor.

«Es increíble lo profesional y calculador que es, la cabeza que tiene», sentencia Vicente. Trabajo, trabajo, trabajo y, después, más trabajo. Rafael no conoce otra receta para que Nadal vuelva a sonreír. «Si no mejoras, estás muerto». Para que vuelva a disfrutar. A ganar. Llega Roland Garros y se sabe que su cuerpo está dañado. Se supone, también, que su mente vuelve a estar carcomida.

Por primera vez en toda su carrera enlaza dos torneos de tierra batida (Montecarlo y Barcelona) sin llegar a la final, y Novak Djokovic le arrebata Miami y Roma. Van cuatro derrotas consecutivas ante el serbio. Los fantasmas de 2011 aúllan, pero Nadal ni siquiera los oye. Ni él, ni Aurélien, su chófer talismán. Joven, pero la calvicie amenaza. Francés, pero el acento es inexistente cuando habla español. «Lleva siete años con Nadal y toda su familia. Rafa le quiere mucho y confía en él», cuenta un pasajero habitual.

Aurélien trabaja en diversos eventos a lo largo del año, pero cuando asoma Roland Garros, su vida gira en torno a la familia Nadal. «Son encantadores. Todos gente muy normal». Dedicación exclusiva: del aeropuerto al hotel, del torneo al restaurante. Lo que necesiten y cuando lo necesiten, un privilegio exclusivo de Rafa Nadal, Novak Djokovic, Roger Federer y Serena Williams. «El resto de jugadores tienen que esperar a que uno de los 150 coches esté libre. Los primeros días de *qualy* son una locura», explica el encargado de organizar el complejo sistema de transporte.

«Algunos son conductores profesionales, pero la mayoría son médicos, policías y, sobre todo, estudiantes». Los requisitos para optar al puesto son muy claros: un exigente test de conducir, conocer París a la perfección y hablar francés e inglés. «Y últimamente español». La hegemonía hispana en el torneo también afecta al transporte oficial.

Desde 2007, Aurélien trabaja sesenta horas a la semana, doce por jornada salvo en sus dos días libres. Su horario laboral siempre depende de las necesidades de Rafael y con el paso de los años se ha creado una leyenda. Urbana, sí, pero esta vez cierta: si Aurélien le conduce rumbo a Roland Garros, Nadal gana. Cuarenta y cinco veces se ha cumplido la secuencia, sin fallo... de los cuarenta y seis duelos que disputó Rafa. «El día que jugó contra Söderling en 2009 no trabajé. Es el único partido suyo que me he perdido en los últimos siete años». Lo dicho, el chófer talismán.

Aurélien conduce y Ginepri, Thiem, Mayer y Lajovic se desploman sin entrar en contienda. Nadal está en cuartos de final y todos los conductores del torneo entonan, por radio, el *Cumpleaños feliz* en francés. Es 3 de junio y Rafael cumple veintiocho años: «Merci beaucoup», agradece, mientras Aurélien sonríe a su lado, dónde si no.

Ferrer y Murray apenas plantean alguna escaramuza rumbo a la final. La gran final. «Delante tiene a un jugador como Djokovic, que es de los mejores de todos los tiempos y con el que ha perdido los últimos cuatro partidos, y eso hace que parezca todavía más difícil». Francis Roig sabe que ha llegado el momento de la verdad. El combate decisivo. La batalla definitiva.

Si vis pacem, para bellum, recitaban los romanos en plena conquista imperial. «Si quieres la paz, prepárate para la guerra.» Y en París ya no hay lugar para el armisticio: nadie, en toda la historia del tenis, se ha retado tantas veces. Djokovic quiere, por fin, completar el

Grand Slam; Nadal le recuerda, por fortuna, que ya le alejó del póquer de grandes en 2012 y 2013. «Cada vez estoy más cerca. Sé lo que tengo que hacer para ganar. No es invencible», reta Novak.

¿Y Aurélien? Aurélien acerca a Rafael hasta la Philippe Chatrier. Su parte del trabajo, el transporte y la superstición, está hecha. Turno para bromear con Françoise, el chófer de la familia Djokovic. ¿Quién gana hoy? «Rafa, por supuesto», responde de inmediato Aurélien, ayudado porque Françoise, que no habla español, ni siquiera ha entendido la pregunta. Así que sonríe y vuelve a entrar en el coche. En su refugio. En la sala de estar de los Nadal en París. Va en busca de una televisión convencido de su pronóstico: no en vano, es la profecía de un chófer talismán.

El partido, en cambio, amaga con destrozar amuletos. Novak se lleva el primer set, 3-6, y Rafa reacciona en el segundo, 7-5. «¡Y ahí está! Durante una hora y 44 minutos Nadal ha estado por debajo de Djokovic. Pero de alguna manera, como solo él sabe, ha dado la vuelta al partido», brama el comentarista de Eurosport International. Nadie, nunca, jamás, ha remontado a Djokovic una final, ni siquiera en su época de Futures y Challengers. Pero el serbio empieza a oír, en el fondo de su mente, esa verdad universal: «Siempre hay una primera vez para todo, Nole».

También para ver a estos dos monstruos de la raqueta exhaustos en menos de dos horas. Ambos, casi a la vez, se derrumban. Calor húmedo que sucede a dos semanas de frío intenso, la explicación. «En el primer golpe de calor el cuerpo se resiente. Si hubiese hecho ese calor los quince días de torneo, no pasaría. No es normal que estos dos jugadores estén tan cansados al cabo de hora y media. Por eso no se vio un partido de tanta calidad, pero sí muy emocionante», rememora Francis Roig.

«¿Has visto a Nadal? ¿Le habías visto hacer eso alguna vez?», se cuestionan en Eurosport cuando Rafa acepta un saque directo de Djokovic sin ni siquiera intentar restarlo. ¿Será la espalda? ¿Otra vez la rodilla? Las cabinas de prensa son un hervidero en busca de respuestas. Jadeos inconsolables, flexiones en busca de resuello, sudores inmunes a la toalla, calambres por doquier... ¡pero 6-2 para Nadal!

Un set más. ¿Solo uno? Todavía otro. Punto importante para el 4-4 y en la celebración, al cerrar el puño como tantas otras veces, la pierna derecha de Rafael falla y ni siquiera sujeta el peso de su cuerpo. El colapso pide paso. «En ese juego estaba muy al límite. Si lo ganaba, todo pintaba bastante bien. Pero si lo perdía y se ponía 4-5 y saque de Novak... En un quinto set hubiese sido prácticamente imposible. En ese juego estaba el partido», revive Roig, y su voz aún tiembla.

«El 70 por ciento de los movimientos los puede hacer cualquier jugador competente. Otro 25%, cualquier gran maestro. Ese último 5%, o el 1% que se juega bajo presión, eso, es ajedrez de competición». Garri Kaspárov, quince años en la élite, inamovible, define así el momento de la verdad en su deporte. Dientes apretados y agallas expuestas. Alma y corazón. 5-4.

Match point. Rafael se golpea el pecho con el puño y mira a su palco. «En el punto de partido sentí unas ganas de llorar... Casi nunca me ha pasado y me tuve que aguantar. Impresionaba la emoción que se respiraba y ver lo que sufría», responde Francis. El público parisino hace la ola y justo cuando el serbio saca para seguir vivo, grita: «¡Hala Madrid!». Doble falta y enfado justificado.

Por tercera vez, Djokovic entrega un duelo a Nadal con ese doble error y por tercera vez se despide del sueño del Grand Slam completo: Melbourne, Londres y Nueva York, conquistadas; París, esquiva. «Lo siento mucho, Novak. Eres el mayor reto de mi carrera», acierta a articular el español. «Ha sido un partido increíble. Felicito a Nadal por su noveno Roland Garros. Después de tantas emociones y de darlo todo, Rafa ha sido mejor», concede su némesis balcánica.

Dolor, sufrimiento, penalidades... Victoria. Rodillas al suelo y lágrimas. Mirada al cielo y más lágrimas. «Hoy el tenis me devuelve un poco lo que me quitó en Melbourne. Las ganas de sufrir y las ganas de competir me han llevado a conseguirlo». Rafael vuelve a su rutina: escala hacia el palco donde espera su equipo y busca a Toni Nadal. Sin embargo, algo cambia: abrazo eterno, boca tapada y confesión secreta entre el campeón y su entrenador. Entre el moribundo y el confesor: «Estoy fatal. Llama a una ambulancia. Que me pongan suero o algo». Es el peaje de una guerra sin cuartel en pos de la eternidad.

Nunca tan extenuado. «Ha sido la final de Roland Garros en la que más he sufrido físicamente. Me sentía muy cansado, vacío». Nunca con un destino tan oscuro a la vuelta de otro parcial. «No sé qué hubiera pasado en un quinto set. Supongo que habría intentado sacar fuerzas de cualquier lado, pero estaba realmente mal, muy al límite». Son las explicaciones de Nadal justo antes de sufrir un mareo en plena rueda de prensa. «Hace mucho calor aquí. Necesito salir», implora Rafael.

«Cada año es más difícil, mucho más difícil, y saboreas más cada triunfo», respira, aliviada, su madre Ana María. Al tiempo, París acuna y mima a su rey. Las leyendas de la raqueta, también. Catorce grandes, uno al menos durante diez años. Nueve en el mismo escenario, una gesta que el tenis nunca vio y, quizá, jamás verá de nuevo. Hazaña digna de elogio. «Nadal es el mejor tenista sobre tierra batida que jamás ha jugado en este planeta», reconoce el otrora monarca, ahora súbdito: Björn Borg.

«Hay que pedir permiso a Rafa para entrar en Roland Garros. Tiene una capacidad sobrehumana y es una figura carismática, feliz, sencilla… Al menos no le tuve delante. Nació un poquito después», sonríe Guga Kuerten, tricampeón en París. «Es una bestia. Si Nadal no se lesiona, llegará a los dieciocho Grand Slams», intuye Pete Sampras, igualado ya su palmarés (catorce coronas) y asumida la derrota que está por llegar.

Una década completa en lo más alto, donde nadie se mantuvo. «Es evidente que ser capaz de ganar diez años seguidos un Grand Slam implica que durante muchos años he conseguido estar mentalmente al máximo durante muchos meses. Al final, yo no soy un jugador que gane por inspiración una semana. Soy un jugador que para ganar necesita un trabajo diario durante muchas semanas. ¿Qué significa ganar para mí? Ganar este torneo es igual a esfuerzo, a trabajo, a superación». Filosofía Nadal, aprendida y aprehendida.

Novena Copa de los Mosqueteros, lo que nadie soñó. «Nadal se eleva a la novena nube», se lee en el portal oficial de Roland Garros. Se equivocan. Hace tiempo que se aventuró hacia el más allá. En 2012 pisó la Luna de los siete grandes idénticos. Territorio exótico, pero ya descubierto por el ser humano. En 2013 se atrevió con Marte y levantó el octavo. Nunca visto en tres siglos de tenis. Hoy, en 2014, se ha colado en Júpiter para recoger el noveno. Irreal, irrepetible. ¿Alguien osa afirmar que en 2015 no paseará por Saturno?

Pase lo que pase. Cueste lo que cueste. «Rafa ha ido superando todas las adversidades. Superó al mejor jugador de la historia en su mejor momento. Luego le tocó superar a un Djokovic impresionante y también encontró la solución. Ahora está luchando contra sí mismo», auguraba Moyá durante el Mutua Madrid Open. Apenas un mes después, Rafael también se ha ganado a sí mismo: a su cuerpo dañado y a su mente carcomida.

«¿Debemos cambiar el nombre de Roland Garros por Nadal Garros?», pregunta la prensa internacional. «El nombre está genial así: Roland Garros. No necesitamos cambiar nada», responde Rafael entre risas, mientras Nadal se asoma a la ventana, mira a las estrellas y observa, a lo (no tan) lejos, los siete anillos de Saturno. Hasta pronto.

Postdata: Salgan a la calle, asómense también al espacio y prueben a buscar un asteroide ubicado precisamente entre Marte y Júpiter, ambos conquistados. Tiene cuatro kilómetros de diámetro y viaja a una velocidad de 20.000 metros por segundo. Es el asteroide 128036 y responde al nombre de «Rafael Nadal». ¿No se lo creen? Pregunten en la Unión Astronómica Internacional.

Lo ganó el 8 de junio de 2014, pero todo empezó mucho antes...

Un cartel de lujo. El 17 de septiembre de 2001, el Real Club de Tenis Betis reunió a muchos de los grandes talentos de la generación de raquetas nacidas en los primeros años de la década de los 80. David Ferrer, Feliciano López, Fernando Verdasco o Marc López eran algunos de los nombres más prometedores de aquella hornada de tenistas que estaba llamada a irrumpir más pronto que tarde entre los cien mejores del mundo en los primeros compases del siglo XXI.

Una de las cuatro invitaciones concedidas por la organización del Challenger Copa Sevilla estaba reservada para Rafa Nadal, aquel niño de quince años, aún sin ránking ATP, del que se hablaban maravillas. En los vestuarios del propio club andaluz había pocos jugadores que no supiesen quién era el de Manacor. Los rumores sobre su potencial se extendían mientras se dejaba ver cada vez con más frecuencia compitiendo entre profesionales.

Su juego era como un canto de sirenas. Los que habían contemplado, al menos una vez, un intercambio de Nadal caían rendidos a sus encantos: velocidad de bola, carácter, personalidad y una actitud poco común en un niño de su edad. «Se veía claro que estaba hecho para jugar al tenis», recuerda años más tarde uno de sus mejores amigos del circuito, Marc López. Nadie dudaba que era un jugador con un don especial, pero lo que pocos imaginaban es lo que estaba a punto de ocurrir sobre la tierra batida sevillana.

Entre los pasillos del club, se paseaban dos jugadores que coincidieron una semana antes en el Future de Madrid, donde Rafa había puesto contra las cuerdas a Guillermo Platel, desperdiciando 13 bolas de partido: Joaquín Muñoz e Israel Matos, precisamente, su primer rival sobre el albero de Sevilla. Congregado en una mesa con algunos de sus compañeros y rivales, escuchó la pregunta habitual antes de que arrancase cualquier torneo:

—¿A ti con quién te ha tocado?

—Con el *wildcard* este... Rafa Nadal.

—¡Ah, bueno! Ese chavalito lo hace bien, pero es muy joven.

—No sé, ¿eh? Lo vi jugar la semana pasada y me quedé con la mosca. Tiene buena actitud en la pista.

A pesar de los cuatro años de diferencia, Matos permanecía alerta: «Había oído que existía un chico español que lo estaba haciendo muy bien y que despuntaba. Pero, como él, siempre ha habido gente. Aun así te llegan cosas y te quedas con ellas». Y por si fuera poco, el recuerdo de Madrid estaba aún muy presente: «Platel era mi compañero de entrenamientos y vi su partido. Rafa iba perdiendo cada *match point* que se le presentaba, pero mantenía la actitud, el saber estar dentro de la pista y en ningún momento se vino abajo. Eso te hace pensar que a ese tío hay que seguirlo, porque apunta maneras».

Mientras Matos llegaba rodado sobre tierra batida, con varios partidos en las piernas después de superar la fase previa, Nadal trataba de borrar de la memoria cada una de las bolas de partido que se esfumaron unos días antes en la pista rápida madrileña. «A pesar de que Rafa no tenía ninguna presión por ganar este tipo de partidos debido a su edad, era importante que lograra pasar página ante una situación que se le podía atragantar. Si se presentaba la oportunidad, sería un alivio que fuese capaz de cerrarlo esta vez», pensaba entonces Toni Colom.

Uno, con el temor de perder ante un niño; otro, con el de dejar escapar una nueva ocasión para sumar su primer punto ATP. Matos y Nadal se citaron sobre la arcilla andaluza para abrir la primera ronda de la Copa Sevilla, antes de que el sol abrasara el albero y el húmedo calor del sur de España asfixiara a los contendientes. Sin apenas público en la grada, el partido se desperezó con un break de Rafa.

«Solo era el primer juego y me rompió el saque. ¿Sabes ese gesto tan característico de levantar el puño y la rodilla? Me miró a la cara y me lo hizo». Un sentimiento, mezcla de rabia y sorpresa, recorrió a Israel: «¿Será descarado este tío?», pensó. Una mirada penetrante bastó para transmitirle su resquemor: «Este enano me rompe el saque en el primer juego y... ¡me hace esto!».

Pero el cruce de miradas no intimidó a Rafael. «Me lo hizo luego un par de veces más. Me sorprendió su descaro. ¡Acababa de aparecer en el circuito! Cuando yo empezaba a jugar las previas de Futures y Challengers contra gente mayor, entraba a la pista con respeto y con un poquito más de cuidado. Rafa, no. Desde el inicio se tomaba el partido como una batalla. Cada punto era eterno». Y entre derechas y restos ganadores, sudor y celebraciones, Nadal se apuntó la primera manga por 6-4.

«Desde el punto inicial jugaba con una intensidad fuera de lo normal», contemplaba desde un rincón de la pista Marc López. Dentro del cuadrilátero, Matos recuerda aún cómo el ciclón que tenía delante acabó superándole con otro 6-4 en el segundo set: «Su tenis progresó para ser más agresivo, pero en sus comienzos Nadal ganaba los puntos porque asfixiaba a los rivales. Metía diez o doce pelotas, aguantaba y apretaba, mientras que el rival no podía más y acababa cediendo. En sus inicios era así».

En otro partido agotador, Nadal ahogó a su rival como todos sabían y pocos eran capaces de contrarrestar: «El partido fue muy duro. Jugué bien, pero Rafa en esa época corría muchísimo. Se movía muy bien, hacía jugar al rival todos los puntos y no regalaba nada. Además poseía un gran carácter y una imagen ganadora. Tenía quince años y parecía un tío de veinte. La sensación que transmitía era que llevaba más años dentro de la pista de los que en realidad acumulaba. Perdí pero, desde aquel momento, estaba convencido de que ese chico que tenía delante iba a dar que hablar».

—Felicidades, chaval.

—Gracias.

—Me ha sorprendido cómo juegas...

Aunque disgustado, Matos salió de la pista aceptando que no había sido una derrota más: «Lo felicité como a poca gente después de perder». Liberado, Nadal se hizo con la primera victoria de su carrera y aseguró, al menos, cinco puntos ATP en su casillero. El lunes siguiente aparecería su nombre en el ránking mundial. El sueño cumplido de un adolescente.

«Ganar a Isra Matos nos sorprendió, porque un chico de quince años era capaz de derrotar a un jugador que estaba bien clasificado en el ránking y porque había ganado cinco puntos de golpe en un Challenger, pero a la vez nos dejó una sensación de alivio, porque no se le atragantó el aprender a cerrar los partidos», apuntan desde su equipo.

El derrotado aquella mañana en Sevilla no era el único que conservaba ese pálpito premonitorio. Juan Carlos Ferrero, compañero de Matos en su Academia de Villena, también confesaría su convencimiento de que aquel niño que comenzaba a despuntar podía continuar el mismo legado que el propio valenciano sembraría durante aquellos años, escalando hasta el número uno de la ATP:

—Isra, te diré algo sobre este chico.

—¿Qué te parece?

—Yo lo he visto jugar y me sorprende mucho.

—¿Lo ves tan bueno, Juanqui?

—Tiene carácter, personalidad y mentalidad luchadora.

—¿Crees que estará arriba?

—Hombre, siempre con cautela, pero si sigue así y no hay nada que entorpezca su camino, será un grande del tenis. Seguro.

Se une a la loa Marc López: «Nunca vi nada igual», sorprendido por el estreno profesional de Nadal desde su condición de primer cabeza de serie en el torneo andaluz. «Todo lo hacía al máximo. Iba a verle jugar y desde el primer punto levantaba el puño y se animaba. Eso es lo que más me impactó de él: las ganas que tenía y la máxima intensidad desde el primer momento. Normalmente la gente cuando empieza el partido lo hace un poco frío, pero él no. Empezaba a tope desde el inicio y así le fue».

El camino de Nadal en la Copa Sevilla terminó en segunda ronda. El futuro campeón del torneo, Stefano Galvani, sería su verdugo. Eso sí, Rafa sería el único capaz de arrebatarle un set al italiano, y, desde aquel momento, Marc apreció una condición que sería inherente a su carrera: «Como deportista es muy difícil ser mejor que él. Vive para lo que hace. Desde que lo conozco es alguien que se despierta para ser mejor: trabaja, hace físico, se cuida... Su capacidad de superación es elevadísima. Recuerdo que en Sevilla, en 2001, su saque era muy malo, pero lo mejoró. El revés no era del todo bueno e hizo lo mismo. En la red, igual. No se conforma con nada. Otro pensaría que haber conseguido tanto ya es suficiente, pero Rafa no. Él intenta ser mejor cada día».

Los años compartidos en el circuito estrecharon sus vínculos: «Conectamos desde el primer momento, y hasta ahora. De hecho fuimos compañeros de habitación en varios torneos. Ha pasado mucho tiempo y estoy muy orgulloso de cómo le ha ido todo. Como gran amigo suyo, pienso que se lo merece». Trece años más tarde, Marc y Rafael volvieron a encontrarse. Ellos, y David Ferrer, Feliciano López y Fernando Verdasco. Todos, de nuevo, compartieron cartel, solo que esta vez se trataba de Roland Garros 2014.

Allí, en París, Nadal rubricó su última gran victoria. Años antes, en Sevilla, la primera. Ahora, catorce Grand Slams decoran ya su vitrina de platino y las cosas han cambiado... Bueno, no todas. El descaro de aquel niño que abrazó su primer punto ATP se mantiene en el hombre que abraza su novena Copa de los Mosqueteros. Aún conserva el mismo semblante, la misma mirada y el mismo carácter. La armadura del campeón, la del eterno Rafael Nadal.

Don Rafael Nadal Parera

«Nadal es un superhéroe, pero lo que le convierte en un personaje de ciencia ficción es el nivel humano de Rafael». La radiografía, clarividente, lleva la firma de Toni Colom, compañero de viajes y aventuras en su infancia.

Sí, Nadal es una leyenda. Plausible. «Tengo muy claro los resultados que he hecho. Memoria tengo y evidentemente sé en qué lugar estoy. Otra cosa es que no acostumbre a hablar de ello porque no hace falta que hable yo. No hace falta que sea yo el que me signifique. Si estoy el segundo, el tercero o el cuarto de la historia, en la posición que esté, el mundo del tenis ya sabe dónde estoy».

Sí, Rafael es un ejemplo. Admirable. «Principalmente quiero que me recuerden por ser una persona correcta. Por ser buena gente. Después, evidentemente si me recuerdan por haber conseguido buenos resultados, será una gran noticia».

Y sí, ambos, Nadal y Rafael saben que el telón bajará y los focos se apagarán. «Tengo que valorar que las cosas me han ido muy bien y me siento afortunado por todo lo que me ha pasado en la vida. Pero soy lo suficientemente humilde para saber que todo lo que he vivido en el pasado no es eterno. Habrá un día que no tendré la opción de ganar porque mi nivel habrá bajado, porque habré tenido más problemas o porque mi cabeza se habrá parado. Ese día cogeré mi raqueta, la colgaré y me iré a pescar».

Ese día llegará y todos los aficionados al deporte con mayúsculas, ese que va mucho más allá de una pelota y una red, lo lamentarán. Entonces, en la soledad de su barco, con su caña como único acompañante y a la caza de algún pez despistado, Nadal volverá a ser Rafael. Solo Rafael. Nada menos que Rafael.

Con sus miedos: a la oscuridad, al mar profundo o a las tormentas. Con sus pánicos, en forma de perro: «Yo tenía que encerrar el mío cuando venía a casa. Pero es que ve un perro salchicha ahí y se muere de miedo. El tío ve un chihuahua y sale corriendo», cuenta su amigo Moyá. «Te hace ver que es alguien indestructible en la pista y fuera de ella es otra persona». Y con sus defectos: desordenado, olvidadizo… y gastronómicamente imperdonable. Ni jamón ibérico, ni queso manchego.

Dirá hasta siempre sin temor. «Desde que llegué a donde estoy, a sentir el interés y la expectación del público, soy consciente de que esto tiene una fecha de caducidad. Y nunca tuve miedo a ese adiós. Cuando llegue, en mi vida va a quedar lo más importante: mis amistades, las reales, y el cariño de la familia.»

Con recuerdos, sin nostalgias. «Mi vida nunca fue solo tenis. He sido, soy y voy a ser feliz fuera del mundo del tenis. Evidentemente la sensación de competir, de salir a una pista y de ver los mejores estadios del mundo llenos, la voy a echar de menos, pero sin la fama y el interés voy a poder vivir.»

Y entonces, instalado *ad eternum* en el corazón de todos los españoles, vivirá en su isla, en Manacor, dónde si no. Con su gente, con su familia, con quién si no. «He tenido suerte con mis dos hijos. No doy mucha importancia al hecho de que Rafael sea un supercampeón, porque lo que me hace feliz en la vida es saber que tengo dos hijos que son buenas personas. Cuando todo esto pase Rafael será el de siempre, mi hijo, y eso es lo que cuenta». Palabra de Ana María Parera, la madre que le parió.

Nadal soñó con ganar Wimbledon… y lo ganó. Rafael soñó con ser feliz… y lo es. «Cuando era un niño, mi objetivo en la vida era ser feliz. ¿Mi objetivo ahora? Ser feliz. Nada ha cambiado, solo he mejorado mi tenis. Eso es todo. La gente piensa que me verá y seré alguien diferente, pero no lo soy. Soy el mismo de siempre. Sigo sin querer nada más que ser feliz», confiesa a *The Sunday Times*.

«Juega al tenis como si fuera lo más importante, pero sé consciente de que no lo es», reza el eslogan central del Rafa Nadal Tour. «Esto al final es un juego, y la vida va mucho más allá de un partido de tenis». ¿El principio del fin? El fin del principio. «En veinte años me veo vinculado al deporte, con una familia alrededor y disfrutando de la vida». Que así sea… Hasta siempre, don Rafael Nadal Parera.

Posdata: Quizás ese día, en la soledad de su barco, con su caña como único acompañante y a la caza de algún pez despistado, Rafael pondrá banda sonora a la despedida de Nadal. *Vuela alto*, de Julio Iglesias. «Mi canción favorita».

Llegar a la meta cuesta
te cuesta tanto llegar
y cuando estás en ella
mantenerte cuesta más
Procura no descuidarte
ni mirar hacia detrás
o todo lo conseguido
te lo vuelven a quitar
Aquí no regalan nada
todo tiene un alto precio
peldaño que vas subiendo
peldaño que hay que pagar
Aquí hay que bailarlo todo
sin perder jamás el paso

te suelen soltar la mano
si ven que hacia abajo vas
Vuela amigo, vuela alto
no seas gaviota en el mar
Vuela amigo, vuela alto
no seas gaviota en el mar
La gente tira a matar
cuando volamos muy bajo
La gente tira a matar
cuando volamos muy bajo
Amigo aprovecha el viento
mientras sople a tu favor
que el aire te lleve lejos
cuanto más lejos, mejor
Que aquí el que se queda en tierra
lleva la parte peor
se van cerrando las puertas
te van negando el adiós
Aquí no regalan nada
todo tiene un alto precio
peldaño que vas subiendo
peldaño que hay que pagar
Aquí hay que bailarlo todo
sin perder jamás el paso
te suelen soltar la mano
si ven que hacia abajo vas
Vuela amigo, vuela alto
no seas gaviota en el mar
Vuela amigo, vuela alto
no seas gaviota en el mar
La gente tira a matar
Cuando volamos muy bajo
La gente tira a matar
cuando volamos muy bajo

El mejor de todos los tiempos

Carta de MANOLO SANTANA

*R*oland Garros. 1961. Mientras en España no sabían si una pelota de tenis era cuadrada o redonda, allí, en la pista central de París, conseguí ante Nicola Pietrangeli el primer Grand Slam de mi carrera. En nuestro país no existía ni tradición ni cultura tenística y, de repente, apareció un tal Manolo Santana que empezó a ganar torneos importantes. Pero aquel título apenas tuvo repercusión en esos momentos...

2005. La Philippe Chatrier asiste al nacimiento de una de las grandes leyendas del tenis de todos los tiempos: Rafa Nadal sorprendía al mundo con su primer Roland Garros a los diecinueve años recién cumplidos. Por suerte, para entonces en España ya se dedicaban portadas y se concedían honores a los campeones del grande francés. Aquel año, Nadal conquistó la primera de tantas Copas de los Mosqueteros que vendrían con el paso del tiempo. Y las que quedan...

Ese título en París solo era la consecuencia del presagio que surgió muchas temporadas atrás. Desde el inicio del nuevo milenio ya se comentaba en Madrid que había un niño que, aunque había perdido, plantó cara a Fe-

DE RAFAEL A NADAL

liciano López —cinco años mayor que él— en el Club Internacional. Como podéis imaginar, ese joven del que todo el mundo hablaba era Rafa.

Ante los comentarios y alabanzas me interesé mucho por él, y ya en la edición de 2003 del Mutua Madrid Open pude verle jugar por primera vez en directo. Perdió 2-6, 6-3 y 4-6 contra Álex Corretja, pero hizo un partido tremendo. Las señales eran evidentes: estábamos ante un futuro campeón del torneo. Y así ha sido en varias ocasiones; de hecho, fue el primero en ganar tanto en pista dura como en tierra batida.

Peleaba cada punto como si fuera el último y mantenía la concentración en los momentos más importantes, dos virtudes imprescindibles en un gran campeón. Además, Rafa tiene una fe enorme en sí mismo y está convencido de que puede ganar a cualquiera. Incluso si pierde 0-6 y 0-5 (0-40), aún piensa que puede ganar... ¡Y puede hacerlo!

Tal vez suene a exageración, pero esa actitud positiva hasta el último momento la demostró por ejemplo en la final del Mutua Madrid Open de 2005 ante Ivan Ljubičić. Es, tal vez, el mejor partido que le he visto. Nadal perdía dos sets a cero (3-6 y 2-6) y fue capaz de remontar. Lesionado, acabó ganando en cinco mangas y se convirtió en el partido más comentado ese año en el circuito.

Emotiva fue también la primera vez que ganó a Federer en Roland Garros, en las semifinales de 2005. Hizo un partido fantástico. El favorito era el suizo, pero Rafa demostró que no daba una bola por perdida, que podía remontar el partido en cualquier momento y que cuando amenaza, cumple. Es un jugador que estudia perfectamente al adversario, sabe cómo jugarle y leer los puntos débiles.

Ni siquiera con Federer es una excepción. Le castiga con una bola alta al revés que le hace mucho daño. Y desde aquella edición, Nadal enseñó los dientes en Roland Garros. Tanto, que no ha parado de hacerlo durante los años siguientes. ¡Y ya tiene nueve títulos en París! La Philippe Chatrier es su casa. No hay un rincón de esa pista que se le escape. Conoce todos sus recovecos... En ocasiones pienso que habría que cambiar el nombre del torneo y que pase a llamarse Nadal Garros.

Sin embargo, la tierra batida no es el límite de Rafa y por eso es un jugador tan atractivo para todo el mundo. Además de París, también se coronó en Melbourne, Nueva York y Londres. Sí, en Wimbledon. Cuando la mayoría de los españoles tenían miedo a la hierba, como me ocurría a mí al principio, él se fijó el objetivo de ganar en el All England Lawn Tennis and Croquet Club. Y lo logró.

Aún recuerdo las palabras que cruzamos después de su primera derrota en la Catedral ante Federer en 2006: «No has ganado ahora, pero seguro que lo harás», le dije. «No corramos tanto», respondió entre risas. Dos años más tarde, en su tercera final en Wimbledon, me contestó sobre el césped, conquistando el trofeo, y fuera de él: «Manolo, qué suerte he tenido que tú siempre has confiado en mí».

Y es que aún sin la raqueta en su mano izquierda, Rafael conserva la magia. Cuando estoy con él me hace sentir muy bien. A veces le observo detenidamente mientras atiende a todo el mundo como se merece, sin negar jamás un autógrafo a un niño, la modestia tremenda que desprende... Lo considero un símbolo para la juventud y es un gran ejemplo para todos nosotros.

«Manolo, ¡qué suerte ha tenido Rafa de tenerte como referente! Tú trajiste el tenis a este país y él lo ha ratificado como un gran campeón». Es una frase que he escuchado desde que Nadal logró sus primeros grandes títulos en el circuito. Ahora, unos años más tarde, me toca a mí decirte: «Rafa, ¡qué suerte he tenido yo de coincidir con un deportista formidable, una persona increíble y que, encima, es del Real Madrid como yo!». Para mí, sin duda, el mejor jugador de todos los tiempos.

MANOLO SANTANA
Mayo de 2015

Rafael Nadal es un ángel

Epílogo por Íngrid Betancourt

«*H*ace algunas semanas estábamos mis compañeros y yo en el mundo húmedo y asfixiante de la selva, donde nada era nuestro, ni siquiera nuestros propios sueños. Fueron muchas las noches oscuras en que traté de evadirme imaginando un mundo mejor, un mundo donde personas alrededor mío buscarán aportar felicidad a los demás y donde hiciera, otra vez, bueno vivir. No podía imaginar que Dios oiría mi llamado al punto de traerme aquí, junto a personas que me alegraron tantos momentos del largo cautiverio que me tocó vivir. A Rafael Nadal, por ejemplo, lo seguí durante seis años por las canchas de Roland Garros. Lo vi crecer a través de las transmisiones en directo que Radio Francia Internacional hacía cada verano. Y al tiempo que compartía la alegría de sus cada vez mayores éxitos, vivía la frustración de no poder ver sus victorias. Estar aquí en el día de hoy, viéndolo cara a cara, es como cerrar un círculo. Es completar de forma maravillosa una cita con la vida»

Discurso de Ingrid Betancourt, secuestrada seis años (2002-08) por el Frente Armado Revolucionario de Colombia (FARC), al recibir el Premio Príncipe de Asturias de la Concordia el 24 de octubre de 2008.

$\mathcal{N}$osotros, en la selva, teníamos acceso a ciertas noticias a través de la radio. Obviamente, oyendo Radio Francia Internacional, lo que estaba relacionado con Francia estaba siempre resaltado. Me gustaba en particular tratar de seguir todos los años Roland Garros, porque era como una cita con lo que añoraba de mi vida anterior. Me acuerdo que fue así como me interesé por Rafael Nadal, aunque obviamente yo no lo veía y no sabía cómo era físicamente, sino simplemente oía lo que se decía de él en la radio y trataba de imaginarlo.

Y lo que decían era impresionante: no solo ganaba, sino que describían su manera particular de luchar cuando estaba en situación de peligro en un partido. Cuando parecía todo perdido, lograba superar el sentimiento de derrota y, gracias a su carácter, volvía al ruedo y finalmente ganaba el partido. Yo notaba que esto era algo constante en su comportamiento. Era definitivamente un deportista que a mí me intrigaba muchísimo.

Otra cosa que me llamaba la atención cuando le oía responder preguntas era su sencillez y su gentileza. Había algo ahí que me intrigaba. Pensaba que debía ser alguien muy especial. Era como si su energía llegara a la selva. En un mundo donde todo era tristeza, negatividad y frustración, de pronto se sentía la presencia de ese muchacho joven y aguerrido, y la felicidad de sus victorias se hacía contagiosa. En aquel momento no pensaba «esta persona es una fuente de inspiración», pero, de hecho, sí lo era.

Así que cuando me tocó ir a los Premios Príncipe de Asturias y nos conocimos, fue muy emocionante para mí, porque de pronto vi la cara que tantas veces me había imaginado y comprobé que no solamente era un atleta extraordinario, sino también muy buen mozo, sencillo, y amable. Lo recuerdo como un joven inteligente e interesado en los demás. Su cara de asombro cuando lo nombré en mi discurso creo que se debe a esa sencillez. Él se debe ver a sí mismo como cualquier persona, como una persona común, y de pronto no se da cuenta de lo que nosotros vemos en él. Por todo eso lo queremos y lo admiramos.

Hay muchos campeones en el mundo y gente extraordinaria, pero lograr ser además querido y admirado no lo logra todo el mundo. Después de los Premios tuvimos alguna correspondencia por e-mail, al principio, y en otro momento me encontré con alguien de su familia. No nos hemos vuelto a encontrar, pero si lo hacemos pienso que nos abrazaremos con el mismo cariño. Es, para mí, una persona con la cual me siento en sintonía.

Mirar tenis es algo bello. Además de ser un deporte extraordinario, es como un ballet, un espectáculo muy hermoso. Ahora me es posible ver sus partidos y admirarlo, algo que me da gran alegría. Pero debo confesar que también, en algunos momentos, simplemente cierro los ojos para oír los comentarios de los narradores. Solo oír para poder ver con la imaginación, porque muchas veces la imagen toma mucho espacio en la manera como uno integra la información.

Es muy difícil definir lo que significa Rafael Nadal para mí y para muchos de quienes lo seguimos. Pero diría algo que tiene una connotación de espiritualidad, aunque no quiero que se tome así. Es simplemente que tiene varios elementos de algo que yo llamaría un ángel. No lo digo en un tono solo admirativo, sino que cuando uno se imagina un ángel, se imagina un ser que tiene una sinfonía de cualidades: el carácter, la belleza física, la belleza del alma, la inteligencia... Y cuando se da toda esa conjunción de cualidades, uno tiende a pensar «es como un ángel». Y yo diría eso de Rafael Nadal: es un ángel.

INGRID BETANCOURT
Mayo de 2015

Agradecimientos

*L*a lista de agradecimientos debería ser más extensa, pero al menos nos gustaría destacar algunos nombres:

A Carlos Cuadrado, Carlos Moyá, David Marrero, Feliciano López, Fernando Vicente, Francis Roig, Galo Blanco, Guillermo Platel, Ingrid Betancourt, Israel Matos, Iván Esquerdo, Iván Navarro, Jofre Porta, Jordi Arrese, Joan Aguilera, Manolo Santana, Marc López, Pablo Andújar, Pat Cash, Ramón Delgado, Rubén Ramírez Hidalgo, Santi Ventura, Sergio Troncoso, Tati Rascón, Toni Colom, Toni Nadal, Xavi Segura y Yolanda Medel, por su tiempo y sus recuerdos.

A Córner y Roca, por confiar en estos dos periodistas para contar la historia de semejante deportista.

A Laura Marta, siempre dispuesta y con el consejo certero.

A cada uno de los autores de los libros citados a lo largo del texto:

—*Rafa, mi historia*, de Rafael Nadal y John Carlin (Hyperion Books, 2011)

—*Rafael Nadal, crónica de un fenómeno*, de Jaume Pujol-Galceran y Manel Serras (RBA, 2007)

—*Strokes of genius*, de L. Jon Wertheim (Mariner Books, 2010)

—*El mundo de Rafael Nadal*, Lucca Appino (Flora Consulting, 2009)

—*Sirve Nadal, responde Sócrates: del filósofo clá-*

sico al deportista de élite, Toni Nadal y Pere Mas (Debolsillo, 2009)

Y a los editores de los portales digitales consultados:

www.tennistopic.com

www.atpworldtour.com

www.itftennis.com

www.stevegtennis.com

www.elpais.com

www.asapsports.com

Por último, cada historia que han leído en este libro ha sido contrastada hasta donde llega la memoria de sus protagonistas. Pero si aún así les cuesta creer alguna de ellas, atiendan un ruego de los autores: den rienda suelta a la imaginación y confíen, por un momento, en la leyenda. No en vano, de una leyenda viva versa toda esta historia...

Anexo I

Rafa Nadal en Grand Slam

2003	Roland Garros	No participa
2003	Wimbledon	Tercera ronda
2003	US Open	Segunda ronda
2004	Abierto de Australia	Tercera ronda
2004	Roland Garros	No participa
2004	Wimbledon	No participa
2004	US Open	Segunda ronda
2005	Abierto de Australia	Cuarta ronda
2005	**Roland Garros**	**Campeón**
2005	Wimbledon	Segunda ronda
2005	US Open	Tercera ronda
2006	Abierto de Australia	No participa
2006	**Roland Garros**	**Campeón**
2006	Wimbledon	Final
2006	US Open	Cuartos de final
2007	Abierto de Australia	Cuartos de final
2007	**Roland Garros**	**Campeón**
2007	Wimbledon	Final
2007	US Open	Cuarta ronda
2008	Abierto de Australia	Semifinal
2008	**Roland Garros**	**Campeón**
2008	**Wimbledon**	**Campeón**
2008	US Open	Semifinal

2009	**Abierto de Australia**	**Campeón**
2009	Roland Garros	Cuarta ronda
2009	Wimbledon	No participa
2009	US Open	Semifinal
2010	Abierto de Australia	Cuartos de final
2010	**Roland Garros**	**Campeón**
2010	**Wimbledon**	**Campeón**
2010	**US Open**	**Campeón**
2011	Abierto de Australia	Cuartos de final
2011	**Roland Garros**	**Campeón**
2011	Wimbledon	Final
2011	US Open	Final
2012	Abierto de Australia	Final
2012	**Roland Garros**	**Campeón**
2012	Wimbledon	Segunda ronda
2012	US Open	No participa
2013	Abierto de Australia	No participa
2013	**Roland Garros**	**Campeón**
2013	Wimbledon	Primera ronda
2013	**US Open**	**Campeón**
2014	Abierto de Australia	Final
2014	**Roland Garros**	**Campeón**
2014	Wimbledon	Cuarta ronda
2014	US Open	No participa
2015	Abierto de Australia	Cuartos de final

Anexo II

El reto del GOAT

The greatest of all time. El más grande de todos los tiempos. El trono que preside el Olimpo de cada deporte y en el que solo unos cuántos privilegiados se atreven a sentarse: Michael Jordan, Muhammad Ali, Wayne Gretzky, Michael Phelps... ¿Y en el tenis? Roger Federer es la respuesta más habitual, apoyada en el lógico argumento del recuento de títulos del Grand Slam conquistados (diecisiete).

Rafa Nadal coincide: «Federer tiene los números que dicen que es el mejor de la historia, de la historia reciente en este caso. Si hay alguna comparación posible es con Rod Laver, por el hecho de que Laver pasó varios años de su carrera sin poder competir en los torneos más importantes porque se hizo profesional, y en aquella época para competir en los torneos del Grand Slam tenías que ser amateur. Y aún así, consiguió ganar los cuatro grandes antes y después».

«Pero los mejores de las carreras se analizan cuando terminan las carreras, y ni Federer ni yo hemos terminado las nuestras. Si nuestros números fueran similares al final, el cara a cara (23-10) sería un dato más. Pierde la importancia cuando él tiene unos números a día de hoy bastante mejores que los míos. Vamos a ver, cuando termine, dónde me quedo», puntualiza.

Y sin embargo, Andre Agassi, que también construyó su leyenda raqueta en mano, elige distinto referente con nuevos argumentos: «Yo pongo a Nadal como número uno de todos los tiempos y a Federer como dos. Roger estuvo muy por encima del resto durante cuatro años. Se alejó de Andy Roddick o Lleyton Hewitt. Nadal ha tenido que vencer a Federer, a Novak Djokovic y a Andy Murray en la edad dorada del tenis. Contra ellos ha hecho lo que ha hecho y aún no ha terminado».

Que hablen los números (al cierre de esta edición):

Cara a cara
Treinta y tres veces se enfrentaron y en veintitrés ganó Nadal, que nunca, ni cuando empezaba su carrera y Federer ya era número uno, estuvo por detrás en el balance.

Grand Slam: cara a cara
Once duelos y solo dos victorias de Roger Federer. Salvo en las finales de Wimbledon 2006 y 2007, siempre ganó Rafa Nadal.

Grand Slam: Federer, Nadal y Djokovic
Nadal derrotó a Federer y/o Djokovic en doce de sus catorce títulos del Grand Slam. A ambos, en tres.

Federer derrotó a Nadal o a Djokovic en seis de sus diecisiete títulos del Grand Slam, cinco de esas seis antes de que Rafa o Novak cumpliesen veintidós años. A ambos, nunca.

Grand Slam: rivales en la final
En diez de sus catorce grandes, Nadal superó en la final a Federer o a Djokovic, a los que ganó en 46 de los 75 duelos (61%) que les han enfrentado a lo largo de su carrera. En tres ocasiones se enfrentó en la pelea por el

trofeo a un tenista ubicado fuera del Top 5, con Mariano Puerta (37°) como rival de mayor ránking.

En tres de sus diecisiete grandes, Federer superó en la final a Nadal o a Djokovic, a los que ganó en treinta de los setenta y uno (42%) duelos que les han enfrentado a lo largo de su carrera. Sus catorce grandes restantes los conquistó ante rivales a los que derrotó en 108 ocasiones durante 140 enfrentamientos (77%). En nueve ocasiones se enfrentó en la pelea por el trofeo a un tenista ubicado fuera del Top 5, con Mark Philippoussis (48°), Marcos Baghdatis (54°) y Marat Safin (86°) como rivales de mayor ránking.

Grand Slam: Top 3 enfrente
En el camino hacia sus catorce trofeos del Grand Slam, Nadal venció al número uno del ránking en ocho ediciones y a uno de los tres mejores tenistas del mundo en doce ocasiones.

En el camino hacia sus diecisete trofeos del Grand Slam, Federer venció al número uno del ránking en una edición y a uno de los tres mejores tenistas del mundo en ocho.

Copa de Maestros
Nadie tiene más que Roger, que conquistó seis. Es el único trofeo de renombre que falta en el palmarés de Rafa.

Masters 1000
Nadal lidera el palmarés histórico con veintisiete títulos, seguido por Federer con veintitrés.

Copa Davis
Rafa ha participado en la conquista de cuatro ensaladeras, mientras que Roger acaba de ganar por primera vez la máxima competición por países.

Juegos Olímpicos
Nadal se proclamó campeón olímpico en Pekín 2008. Y Federer fue subcampeón en Londres 2012, además de conquistar el oro en la categoría de dobles en la ciudad asiática, cuatro años antes.

Títulos totales
A sus 33 años, Roger ha levantado 84 copas. Con 28 años, Rafa alzó 65 trofeos.

Semanas como número uno del mundo
Roger Federer ha estado al frente de la clasificación mundial más tiempo que nadie: 302 semanas. Rafa Nadal, 141.

Este libro utiliza el tipo Aldus, que toma su nombre
del vanguardista impresor del Renacimiento
italiano Aldus Manutius. Hermann Zapf
diseñó el tipo Aldus para la imprenta
Stempel en 1954, como una réplica
más ligera y elegante del
popular tipo
Palatino

***
**
*

De Rafael a Nadal
se acabó de imprimir
un día de primavera de 2015,
en los talleres gráficos de Liberdúplex, s.l.u.
Crta. BV-2249, km 7,4, Pol. Ind. Torrentfondo
Sant Llorenç d'Hortons (Barcelona)

***
**
*